Arre
Abril 2005

Cría de asesinos

Andrés Rivera

Cría de asesinos

ALFAGUARA

© Andrés Rivera, 2004
© De esta edición: Aguilar, Altea, Taurus, Alfaguara, S.A., 2004
   Beazley 3860, (1437) Ciudad de Buenos Aires

ISBN: 950-511-944-5

Hecho el depósito que indica la ley 11.723
Impreso en la Argentina. *Printed in Argentina*
Primera edición: julio de 2004

Diseño: Proyecto de Enric Satué
Diseño de cubierta: Claudio A. Carrizo
Ilustración de cubierta: Carlos Alonso, *Niños colgados*, 1964
Óleo sobre madera. 200 x 200 cm.

Una editorial de Grupo Santillana que edita en:
Argentina - Bolivia - Brasil - Colombia - Costa Rica - Chile -
Ecuador - El Salvador - España - EE.UU. - Guatemala -
Honduras - México - Panamá - Paraguay - Perú - Portugal -
Puerto Rico - República Dominicana - Uruguay - Venezuela

Andrés Rivera
Cría de asesinos. – 1ª ed.– Buenos Aires: Aguilar, Altea, Taurus, Alfaguara,
2004.
152 p.; 21,5 x 13 cm.

ISBN N° 950-511-944-5

1. Narrativa Argentina I. Título
CDD A863

Índice

Iniciaciones   11

Turno   45

     No hay más que esto   47

     Carne cruda   79

     El precio   89

     Turno   105

     Puntual y fulgurante   113

Cría de asesinos   117

No escriba nunca nada que no le guste, y si le gusta, no acepte el consejo de nadie de cambiarlo. Los demás no saben.

RAYMOND CHANDLER,
El simple arte de escribir

Iniciaciones

Vení.

Esa palabra, que le eriza la carne, que lo hace temblar, que le quita el habla y la mirada para ninguna otra cosa, está al acecho, como una brasa que se apaga en lo que hoy es el doctor Gustavo Cárdenas.

Cuarenta años tiene, hoy, el doctor Gustavo Cárdenas. Es lo que sus colegas llaman un profesional exitoso. Abogado astuto y paciente, obtiene provecho de lo que escucha, cualesquiera sean las informaciones que le proporcionan sus interlocutores.

El doctor Gustavo Cárdenas cierra su estudio, tres veces en la semana, a las ocho de la noche. Quince minutos más tarde se zambulle en las quietas aguas de la pileta del Club de Abogados Porteños. Dos, tres, cuatro largos en la solitaria pileta. Brazadas lentas, armoniosas. Reposera, luego. Y silencio. Toallón blanco sobre los hombros. Un Gancia con hielo y fernet en el bar del club.

Vení.

La mujer que pronunció esa palabra, hace, ya, más de veinte años, se tendió, hace, ya, más de veinte años, sobre la espalda de Gustavo Cárdenas, y le sujetó los brazos a lo ancho de la cama, y le preguntó, en un lento susurro, *qué querés que te haga.*

Gustavo había escuchado los pasos de Paula Aráoz por oscuros corredores, fríos y altos y estrechos los oscuros corredores, enfundadas las largas piernas de Paula Aráoz en largas botas negras, blandas las largas botas negras de Paula Aráoz.

Pasaron más de veinte años desde aquellas noches y aquellas tardes de otoño y de invierno: ¿es verdad para mí, para el hombre que soy, que seré, que se casará con una mujer bella y madre ejemplar, que estuve tendido en la cama de Paula Aráoz, boca abajo, desnudo, y que Paula Aráoz susurró en mi oído, con una sonrisa en la boca, decime qué querés que te haga?

¿Es verdad que, ahora, que estoy lejos, para siempre, del adolescente turbado por las ansiedades de alguien que dijo llamarse Paula Aráoz, escucho su voz, lenta y perentoria, *te hago más, sí?*

¿Va el doctor Gustavo Cárdenas al encuentro de esa voz que dice *vení?*

¿Va el doctor Gustavo Cárdenas al encuentro de la voz que creyó escuchar, nunca sabrá desde dónde, tan indefenso y tan desamparado como durante ese instante en que ella lo miró, e hizo suyo, bajo la luz débil de una tarde porteña, veinte años atrás?

No, no se equivoca el doctor Cárdenas: hace más de veinte años que escuchó esa palabra.

¿Y por qué va, el doctor Cárdenas, al encuentro de la voz de una mujer cuyo paso escuchó, hace más de veinte años, por los sinuosos, oscuros corredores de la casa que los Aráoz ocuparon por generaciones; y desde que el país es lo que es, desde que Dios, si esa inmutable cosa existe, ordenó que sea lo que es?

¿En busca de qué va el doctor Gustavo Cárdenas?

¿Está buena la vieja?

Eso preguntó Daniel Aráoz, con el tono de quien alude a las suntuosidades de un territorio que conoció como nadie, y que nadie, nunca, conocería como él. Y se lo preguntó a Gustavo Cárdenas, un condiscípulo presumiblemente virgen. Torpe y azorado, ese amigo y condiscípulo presumiblemente virgen.

Daniel insinuó, con su pregunta —y eso quiso creer Gustavo— que los gozos que le fueron otorgados proseguirían, y que Paula Aráoz era insaciable.

Está buena la vieja, ¿no?

Eso dijo Daniel; en la noche de una calle y de una ciudad vasta y muda; cruzada por autos que cargaban tipos uniformados con cascos de acero en sus cabezas y fusiles ametralladoras en las manos, e índices rígidos curvados sobre gatillos letales y oscuros.

Está buena la vieja, dijo Daniel, como con nostalgia, como si hablase de un recuerdo vago y remoto, y doloroso, tal vez.

Daniel no se despidió, esa noche, de Gustavo.

La madre de Daniel sabía que los tipos uniformados y los despiadados atletas que integraban los grupos de tareas se esforzaban por cubrir una cuota semanal de detenciones, sin importarles los estupefactos balbuceos de quienes estaban destinados a la vejación y al tormento o a hundirse en las aguas del Río de la Plata, aletargados por inyecciones que anestesiaban la resistencia y el espanto.

La mamá de Daniel impuso a su hijo, la noche en que él no se despidió de Gustavo, una necesaria, previsora emigración a España. Patria del fundador de la dinastía de los Aráoz. (Y los Aráoz decían que el fundador de la dinastía participó en la batalla de Lepanto.)

El doctor Gustavo Cárdenas recopiló, prolijamente, notas del país alucinado (¿o alucinante?) cuando su adolescencia era un animal joven y muerto. Tibio, todavía, el animal joven, pero muerto.

El doctor Gustavo Cárdenas exploró el país alucinante (¿o alucinado?) con la lectura, quizá peregrina, quizás errática, y también ávida y veloz, de algunos libros, un suplemento considerable que editó el diario más importante de la República, y a través de la presentación televisiva de señores canosos y rasurados que admitían haber ordenado ejecuciones sumarias. Y uno de esos señores, rasurado y gordo, general propietario de miles de hectáreas de tierras dulces y norteñas, preguntó, en su momento de mayor gloria y bravura, de cara a la pantalla de la tevé, *qué haría usted con un subversivo poseedor de información de la que dependen vidas y bienes de muchos militares y civiles...*

El doctor Gustavo Cárdenas escuchó y vio a tipos que habían perdido, definitivamente, su arrogancia juvenil, con bigotes profusos muchos de ellos, y muchos de ellos con kilos de más, empresarios petulantes y exitosos muchos de ellos, y poetas melancólicos muchos de ellos, recostados, muchos de ellos, en cómodos sillones de secretarios ministeriales o municipales, describir, en esporádicas notas periodísticas, sus transgresiones veintiañeras, sus proyectos de un socialismo nacional, naturalmente tributario de desplantes verbales y fúnebres idioteces, y de sus relaciones, siempre imprevisibles, con El General.

Sí: estuvo buena Paula Aráoz.

Y ahora, que el doctor Gustavo Cárdenas va en busca de lo que Paula Aráoz dejó en el aire de los corredores y de las habitaciones de la casa que habitaron, uno tras otro, los miembros de la dinastía familiar, podía repetir, para convocar el deseo de ese retorno al pasado, que merodeaba deshilachado, lascivo, alguno de sus insomnios, que Paula Aráoz estuvo buena.

¿Quién se decía que Paula Aráoz estuvo buena?

¿Se lo decía el Gustavo virgen, el Gustavo adolescente, ajena, su adolescencia, al universo de degradación y tormentos que envió a unas decenas de miles de tipos y chicas a morir entre hierros que les trituraron carnes, ojos, pelos, huesos, ovarios, dientes, orgasmos; o a huir y huir hacia luces que les devoraron los sueños y los goces inefables de la omnipotencia que se propusieron?

¿Quién se decía que Paula Aráoz estuvo buena?

¿El Gustavo que vivió su adolescencia en un hogar donde Papi y mami se permitían, a la hora de la cena, las normales, satisfactorias intrascendencias de un matrimonio moderno?

Las paredes y los techos que Papi y mami pagaron en un arbolado barrio del norte de la ciudad, eran de una solidez irreprochable. Y si hay que medir la edad de las casas y de los pisos que se construyeron —se construyen, todavía— en el barrio Norte de la ciudad de Buenos Aires, por su solidez, esas casas, paredes, techos, pisos, son jóvenes.

El agua caliente funciona, las duchas funcionan, la calefacción funciona, los ascensores vidriados y con un delicioso aire de antigüedad funcionan, los porteros son serviciales.

El porvenir era módicamente prometedor, el país era (es) joven, la casa que Papi, mami y Gustavo Cárdenas habitaban era joven, y Papi y mami podían atribuirse el considerable lujo de ser un matrimonio normal, satisfecho de sí mismo, y moderno.

Papi y mami almorzaban en pequeños bares cercanos a las oficinas en las que trabajaban.

Té, café con leche, algunas galletitas de salvado, alguna feta de jamón cocido, una fruta de estación. Frugales, Papi y mami.

Papi y mami miraban, absortos, la pantalla del televisor, por las noches, en su casa del barrio Norte de la ciudad de Buenos Aires.

Allí, en la pantalla del televisor, irrumpió, una de esas noches, un grupo de enmascarados. La cámara enfocó a uno de los enmascarados.

El enmascarado leyó una proclama, una declaración, una amenaza. Quizás un responso, quizás una promesa.

Finalizada la lectura de lo que fuese, el enmascarado alzó un fusil, su mano derecha cerrada sobre el caño del fusil, y gritó, con una voz desgarrada, *patria o muerte*.

Poco después de esa exégesis de lo que traería un futuro que se anunciaba inminente, en otra noche fría, y tan fortuita como la anterior, un militar alto y flaco, de bigote fino, mirada severa, mejillas hundidas y afeitadas, calzado con botas relucientes, saludaba, los dedos unidos de su mano derecha rozando la visera de la gorra que le cubría la cabeza, a batallones de soldados que giraban sus ojos hacia el militar de gorra y visera adornadas de filigranas de oro, al grito de *vistaadereee-cha*, hasta que desaparecían de la pantalla del televisor.

Cuando terminó el desfile, el militar de gorra y visera galonadas de oro, ojos severos y mejillas escuálidas, anunciaba, con dicción clara y palabras secas y escogidas, las medidas que adoptarían los cuerpos armados con el propósito de salvaguardar *los valores morales y espirituales de la Nación.*

Papi y mami miraron, aún absortos, y aún en silencio, en la pantalla del televisor, los malabarismos que el militar de bigote fino, y gorra y visera galonadas de oro, ejecutaba con su sable, antes de pasar revista a la tropa, *vistaa-dereee-cha,* en un patio de anchas y limpísimas losas de cemento.

Gustavo era mucho más que un buen alumno: su promedio general en el instituto privado donde cursaba su segundo año de Derecho rozaba los 9,50. Un promedio, enfatizaron las autoridades del prestigioso instituto educativo y privado, que excepcionalmente se registró en los anales de dicha casa de estudios.

Papi y mami comentaron, sin envanecimiento alguno, a la hora de la cena, y en presencia de Gustavo, la carta que recibieron de las autoridades del prestigioso instituto educativo y privado.

La carta resaltaba que Gustavo, con su inteligencia y dedicación, con su avidez por aprender, honraba a sus maestros, a las excelencias del establecimiento que lo tenía por alumno, y a sus padres.

Papi y mami, y Gustavo, sonrieron. Papi y mami supieron que, en su inevitable vejez, Gustavo los atendería, diligente y cariñoso. Papi y mami besaron las mejillas de Gustavo. Y mami lloró. Dulcemente, lloró. Y agradeció, en voz alta, a Dios, por haberle dado a Papi como marido, y a Gustavito (mami dijo *Gustavito*) como hijo.

Gustavo y Daniel se conocieron en el prestigioso instituto privado al que concurrían, y en el que cursaban la carrera de Derecho.

¿Qué desean los padres para sus hijos?

Desean, los buenos padres, lo mejor de lo mejor para sus hijos. Y les dieron a Gustavo y a Daniel lo mejor de lo mejor. Nacidos y criados, Gustavo y Daniel, en hogares donde no se alza la voz en la conversación diaria; donde se aman y se cuidan las creaciones de la Naturaleza; y donde la generosidad es un hábito con los seres más débiles de la escala vegetal, animal y humana.

El doctor Gustavo Cárdenas recordaba, a veces, que Daniel Aráoz fue un joven alegre y un deportista notable. Nadaba espléndidamente bien; jugaba al tenis con elegancia y astucia; y practicaba boxeo con una impavidez de maníaco.

Gustavo, adolescente, presentó a Papi y mami, a Daniel, su compañero de estudios. Papi y mami quedaron cautivados por ese muchacho alto, rubio, apuesto y tan, tan refinado en su trato y en la elección acertada y respetuosa de sus palabras.

También Papi y mami conocieron a la señora Paula Aráoz. Qué personalidad, dijeron, casi al unísono, Papi y mami. Y acordaron que, algunas noches, cuando las materias que estudiaban Daniel y Gustavo requiriesen un intenso y prolongado trabajo de análisis e, incluso, interpretación, Gustavo se quedara a dormir en la casona de los Aráoz. Bastaba con que Gustavo levantase el tubo del teléfono y avisara a Papi y mami de la circunstancial novedad.

Son tan inseguras las calles de Buenos Aires, decían Papi y mami. Lo son de día, pero mucho más de noche.

Gustavo conoció a Paula Aráoz.

Una dama, Paula Aráoz.

Y un apellido. Un apellido que aludía a gesta, a tierras ganadas para la independencia de la patria con espadas, coraje y la cruz de

Cristo sobre las pecheras que vestían los oficiales del general Manuel Belgrano.

Hubo un Aráoz, eso se decía, en la batalla de Lepanto. Y hubo un Aráoz que gobernó tierras de azúcar y mansedumbres, después de la derrota de las tropas del rey de España en aquellas desolaciones tropicales y norteñas.

Y hubo otro Aráoz —también eso se decía— con reputación de valiente como pocos, que elegía, infalible, caballos jóvenes, galopadores, y bien alimentados, y cultivaba la amistad de su compadre, el salteño Martín de Güemes, y de su hermana, Macacha Güemes. Íntimas esas amistades, y declaradas, por si alguien se entregaba al chismorreo.

Un apellido, entonces, en batallas libradas en el reino donde no se ponía el sol.

Un apellido que, en tierras argentinas, no se privó de la rutina emocionante de matar indios y montarse a sus mujeres.

Un apellido, creado por Dios, que hablaba de tiempos en los que se lo asociaba al poder, en un país de caudillos dadivosos y atroces, y a una fortuna que, decían los muy pobres, era inagotable, sin que importase cuánto de ella se fuera en una desvelada partida de naipes.

Gustavo, adolescente, conoció a la mamá de Daniel, a la señora Paura Aráoz, y la casa que albergó, en los recodos del pasado, a hombres enardecidos por conspiraciones provincianas destinadas al fracaso sangriento, y a huidas de los sobrevivientes a lomo de miedos que no se confiesan, y de caballos fieles.

Entre los pocos, poquísimos, que se salvaban de los ultrajes del exterminio, había un Aráoz. Siempre había un Aráoz.

Y para que no quedasen dudas del valor de un apellido, siempre había una Aráoz para afrontar las abyecciones de la derrota.

Paula Aráoz, portadora de un linaje fundado con tripas y apuestas de vida y de muerte, recibió al Gustavo adolescente en la casona porteña que heredó de ciertos antepasados suyos que vagaban por la letra chica de la Historia.

Paula Aráoz agasajó al adolescente, condiscípulo y amigo de su hijo Daniel.

Gustavo, el adolescente Gustavo, sólo arriesgó unas crispadas palabras de agradecimiento por las atenciones, las deferencias y la comprensión que le prodigó, esa tarde de otoño, una dama bellísima y de voz grave.

Pero la mujer que era Paula Aráoz examinó al jovencito que su hijo Daniel, con una sonrisa de cachafaz, le servía, indefenso y cautivo, y a disposición de los caprichos que la habitaban, como habitaron a las mujeres de su familia en tierras de azúcares y mansedumbres, mujeres que supieron cabalgar en pingos lustrosos y corcoveadores de dos y cuatro patas.

Paula Aráoz aprobó a Gustavo: aprobó la adolescencia virgen de Gustavo Cárdenas. Aprobó aquello que exigía de alguien que, ayer, había abandonado la niñez: Gustavo podía satisfacer las hambres insaciables de Paula Aráoz.

El Gustavo adolescente miró a Paula Aráoz, a la mujer Paula Aráoz, y los estertores de la sumisión le surcaron la garganta.

El doctor Gustavo Cárdenas, al encuentro de una voz que escuchó hacía, ya, veinte años, o más, se dijo que la adolescencia es un tiempo de furia y desamparo. Inexplicable no: indescifrable.

El doctor Gustavo Cárdenas camina, sin prisa, en busca de una apuesta.

El doctor Gustavo Cárdenas sonríe, apenas.

Gustavo miró a Paula Aráoz, esa tarde de otoño de 1976, y temió que ella pusiera fin a las cálidas palabras con las que lo agasajó, y se perdiese, los erguidos pechos cubiertos por la seda de una blusa negra, en alguno de los corredores de la casona familiar.

Gustavo levantó, ante la mujer que le sonreía, las capitulaciones inscritas en sus ojos, en las palideces de su cara, en su respiración.

Paula Aráoz gozó, esa tarde de otoño, y por anticipado, de las sumisiones de Gustavo.

Instante de revelación, la adolescencia.
Instante de conquista, la adolescencia.
Instante de preferencias que se suponen definitivas, la adolescencia.
El doctor Gustavo Cárdenas se dijo que no fueron nada dramáticas las preferencias y las revelaciones de su adolescencia.

Descubrió Gustavo, adolescente, el silencio de la montaña, los pasos sinuosos de la montaña, y un coihue erguido hacía trescientos años en la ladera de un cerro.
Descubrió un lago de aguas plateadas o anochecidas a la luz del día.
Descubrió algún faldeo en el que reverberaron intempestivos fuegos.
Descubrió una nube rojiza, y un rosado suavísimo, de mejilla de mujer joven que se ofrece, en sus bordes.
El doctor Gustavo Cárdenas no olvidó ese

paisaje. Lo había explorado solo y lo gozó solo, un largo verano, y otro, y otro más.

Descubrió las destrezas de su cuerpo. Nada para admirar.

Nada para que otros abran la boca o muevan, embelesados, la cabeza, como sucedía con Daniel, cuando lo sorprendían en el despliegue suntuoso, y aun impertinente, de las musculaturas de su cuerpo.

El joven, el adolescente Gustavo Cárdenas, era apto e ingenioso para el trabajo manual (Papi también lo era). Y era prolijo y ordenado en sus horarios (Papi también lo era).

El doctor Gustavo Cárdenas detestaba las decisiones repentinas, las que a uno le imponen las circunstancias, u otros, desde afuera, y no dan ocasión, a nadie, para que reflexione y las acepte, pero sin las penurias de la ofuscación.

Descubrió, el Gustavo adolescente, que Papi lo había anotado en un club de personas que controlaban sus vehemencias, comenzando por los espontáneos, inesperados abandonos de la lengua.

Y el doctor Gustavo Cárdenas disfrutaba, veinte años después, de esa decisión de Papi. Disfrutaba del agua tibia y clara de la pileta del club. Y las brazadas del doctor Gustavo Cárdenas eran exactas y armoniosas. Y el cuerpo del doctor Gustavo Cárdenas —músculos, piel, huesos— respiraba, complacido, en el agua tibia y clara de la pileta del club. Y ningún otro socio del club compartía, a esa hora crepuscular de los días de invierno, su extrema relajación. Para el doctor Gustavo Cárdenas esa relajación era la dicha y era la justicia de una recompensa largamente anhelada.

El doctor Gustavo Cárdenas descubrió las ventajas de la discreción: escuchar a los demás, y no asentir, y no negar.

Descubrió que era necesario y saludable no asentir y no negar cuando los demás, fueran los que fuesen los demás, se entregaban a las exaltaciones de la disputa política.

El doctor Gustavo Cárdenas descubrió, halagado, que el monto de sus honorarios era ajeno a las estrategias abominables, para él, de los dispensadores de gracias y ventajas.

Papi murió.

Gustavo era, quizás, un hombre —¿treinta y cinco años?— cuando un síncope derrumbó a Papi bajo el agua de la ducha.

Papi era sumamente cuidadoso en la elección de sus comidas, dijo mami. Y severo en la elección de domésticas que servían a la familia: debían ser dotadas en gastronomía.

Comía, dijo mami, sin sal.

Y mami, los ojos secos, leyó a Gustavo unas líneas del informe que le entregaron a Papi en el mes de abril, a propósito de una dispepsia que lo cargaba de mal humor. *No hace veinte días, Gustavito*, dijo mami, los ojos secos.

Mami leyó que *"ambos riñones son de forma, tamaño, y ubicación normal, con correcta diferenciación córtico sinusal..."*.

Mami suspiró, alzó los ojos al cielo, y volvió a suspirar. Mami conocía, pensó Gustavo, los ritos de una viudez prematura.

¿Entonces, Gustavito?... Riñones bien, comidas sin sal, cigarrillos no, alcohol no... Teníamos los gastos cubiertos: vos lo sabés, Gustavito... Y ahorros en una caja de seguridad del Banco de Boston...

Gustavo preguntó a mami si mami había interrogado a fondo al médico de la familia... *Mami, los médicos argentinos, a diferencia de los norteamericanos, que te dicen la verdad por brutal que sea...*

Ay, Gustavito, no se puede creer... Papi, dijo el doctor, era un hombre sano... Eso dijo el doctor:

que Papi era un hombre sano, pero con una angustia devastadora en el corazón... Angustia devastadora, *Gustavito... ¿Qué es, Gustavito,* angustia devastadora?

Hay preguntas que no se responden. Uno abraza a quien las formula, y le palmea la espalda, y le murmura oraciones de consuelo en el oído.

Leves, las palmadas en la espalda. Y afectuoso el abrazo, que dura entre cinco y diez palmadas en la espalda. Intentan transmitir, palmadas y abrazos, a quien recibe palmadas y abrazos, que uno comparte su desconsuelo.

Gustavo abrazó a mami. Y le palmeó la espalda. Sereno, Gustavo. Un abogado, se sabe, es un profesional que recibe, en calma, el veredicto que sanciona con un abrumador fracaso, años de apelaciones y escritos realzados por citas inobjetables. O que gana, sin ostentosas afectaciones, un juicio que tendrá eco en la cátedra universitaria.

Gustavo, abogado, secó las lágrimas que bajaban por las mejillas flacas, repentinamente transparentes, de mami. Sereno, Gustavo. Y Gustavo, además, tomó, entre las suyas, las manos de mami, arrugada la piel de las manos de mami, y musitó *yastá, yastá.*

Mami y Gustavo miraron descender el cajón que guardaba el cuerpo de Papi de futuros sobresaltos a un hoyo que los sepultureros abrieron, a suficiente profundidad, en la tierra húmeda de un cementerio privado.

Mami no lloró: su mano derecha reposaba, fría y sin temblores, en la mano izquierda del doctor Gustavo Cárdenas.

El doctor Gustavo Cárdenas supo esperar.

El doctor Gustavo Cárdenas no creía en ninguno de los Derechos creados y en vigencia, y tampoco en los que se fueran a crear.

El doctor Gustavo Cárdenas no creía en ley alguna. A lo sumo respetaba las luces verdes y rojas de los semáforos.

El doctor Gustavo Cárdenas es, en opinión de colegas que lo conocen, un abogado perspicaz e inteligente. Y esa perspicacia y esa inteligencia le sirven para usar, diestramente, la letra de leyes en las que nunca creyó, y de juicios cuya exégesis es unánime. Esa destreza lo señaló, a edad temprana, como un hombre de consulta, y le acercó —se dijo— respetables honorarios.

El doctor Gustavo Cárdenas supo esperar.

Empezaba a caérsele el pelo, al doctor Gustavo Cárdenas, que supo esperar.

El doctor Gustavo Cárdenas, que supo esperar, supo que podía ir en busca de lo que

Paula Aráoz le confió en el invierno de 1977, un año después de que Daniel Aráoz, condiscípulo de Gustavo en un instituto educativo y privado, lo entregara a su madre, sin exigir, por su deliberada generosidad, recompensa alguna.

Fue una noche de castigos, de furia y de miedo. Paula Aráoz mostró, esa noche, desnuda como estuvo, sus miedos y sus furias.

Gustavo, adolescente, apostó a que Paula Aráoz no lo engañó. Y el doctor Gustavo Cárdenas sostuvo la apuesta.

¿Va, el doctor Gustavo Cárdenas, en busca de lo que Paula Aráoz le confió en una noche de desdenes, de afrentas y de temblores?

El doctor Gustavo Cárdenas, que va en busca de lo que Paula Aráoz le confió al adolescente Gustavo Cárdenas, en noches de desdenes, afrentas y temblores, se dice que Paula Aráoz estaba demasiado fatigada para engañar a quien ella humillaba, impiadosa y lúbrica.

El doctor Gustavo Cárdenas se dice que el adolescente Gustavo Cárdenas pudo ser engañado por los cansancios de Paula Aráoz. El doctor Gustavo se dice que el doctor Gustavo Cárdenas es un idiota.

Paula Aráoz, la voz lenta, grave, susurrante, habló todas aquellas noches.

Habló todas aquellas noches de su apellido.

Habló las noches de un largo invierno.

Habló durante silenciosos crepúsculos.

Habló, en la memoria del doctor Gustavo Cárdenas, del apellido en la batalla de Lepanto. Habló del apellido al frente de la gobernación de unas tierras de azúcares y mansedumbres en los años que el general Manuel Belgrano las galopó. Pero el gobernador se cuidó de disparar un solo tiro en favor de los jacobinos que defendían sus enajenaciones en los ejércitos que marcharon al Alto Perú.

La mujer habló del enfrentamiento del gobernador con otro portador del apellido. Y de la alianza de éste con un López, a quien le regaló su hija... *Y la yegüita gozó, días y noches, por atrás y por adelante, de lo que a López le colgaba entre las piernas... Ese pacto volteó al gobernador, y el gobernador pidió asilo en Salta... ¿Conocés Salta?... ¿No? Salta es una vieja ciudad española, que, dijo el gobernador, visitó Don Alonso Quijano...*

Para hacerla corta: en la familia contaban que el gobernador era glacial como dicen que son los hielos patagónicos. Y que algo quería más que

*su caballo, sus haciendas, sus tierras, y sus facones
y mujeres. Y que ese algo era mandar.*

*Y glacial, como dicen que era, puso la espal-
da contra una pared de piedra, en Las Trancas, y
miró de frente a un pelotón de fusilamiento enviado por López.*

*¿Sabés de dónde vienen las grandes fortunas
argentinas? Del contrabando, de la tierra, de las
vacas. Y de la mita.*

*¿Sabés de dónde viene un apellido como An-
chorena?*

*Es tarde... Unos chicotazos en el culo, y se te
para.*

*¿Cómo querés que te lo haga?
Hágamelo como a usted le guste, señora.*

Te monto.

El doctor Gustavo Cárdenas, *en el pleno
ejercicio de las libertades democráticas,* como se
solía leer en la línea editorial de los diarios se-
rios de la República, se dijo, más de una vez,

marcado por ávidas lecturas, por la rememoración de diálogos confusos y fragmentados, por exclamaciones atribuladas de Papi, por las reticentes narraciones de colegas al borde de la jubilación, que él, el Gustavo adolescente, transitó por el espanto del infierno bíblico, sordo a los gritos de horror; no avisado, y ajeno a los estremecimientos de otros, miles y miles, por la desaparición de hermanos, padres, tíos, abuelos, tipas y tipos con los que fuiste a la cama en las últimas tres semanas.

El doctor Gustavo Cárdenas se dijo, más de una vez, que Paula Aráoz no era mujer de divagaciones.

El doctor Gustavo Cárdenas se dijo, más de una vez, que en los años 1976 y 1977, en los inviernos de 1976 y de 1977, la mujer de cuarenta, cuarenta y un años, no era presa de las divagaciones de jovencitas y jovencitos rebelados contra la autoridad paterna.

No se había entregado, Paula Aráoz, a las utopías hipnóticas y tartajeantes de un socialismo nacional. La mujer que fue Paula Aráoz se negó al desvarío.

Era demasiado argentina, Paula Aráoz, para consentir la fábula que le contaban tipos de pelo engominado y sacones de cuero, y rubios, y poetas de bigotes tupidos y alias criollos, que la visitaban en la casona familiar, y le hablaban en tono altanero o sigiloso, y que no dejaban de admirar sus tetas, sus carnes, su trasero.

Pero ella comprendía, y mucho, que detrás de esas excitaciones verbales se pretendía exhumar a los montoneros, que montaban y desmontaban de sus caballos con la velocidad de la luz, y que morían, arma en mano, y aullando blasfemias, cercados por la tropa del Ejército.

Paula Aráoz habló una noche de 1977. Habló, la voz grave y clara, desnuda sobre el cobertor morado de una cama que destinó para modelar la hombría de un joven adolescente.

Habló de lo que su apellido custodiaba: *In God We Trust*.

Gustavo, adolescente, escuchó lo que Paula Aráoz quiso que escuchara.

¿Por qué, en una noche del invierno de 1977, Paula Aráoz confió en un adolescente lo que le dieron a su apellido para que lo resguardase?

El doctor Gustavo Cárdenas sabía qué le dieron a Paula Aráoz para que lo custodiase.

Ahora, lo que le dieron a Paula Aráoz para que custodiase era suyo. *In God We Trust*. Muchos. Muchos.

Desnudate, dijo la mujer vestida con una cortísima enagua negra, y brillosa, los labios sin sangre.

Gustavo, el adolescente, Gustavo que tiritaba, desnudo, en la cama de cobertor morado, escuchó girar la llave en la cerradura de la puerta de la pieza en la que Paula Aráoz lo alojó.

Y escuchó los pasos de Paula Aráoz que se alejaban por uno de los recodos de la vasta casa familiar.

Gustavo, desnudo, siguió, con los ojos abiertos, los pasos de Paula Aráoz que se alejaban por uno de los recodos de la vasta casa familiar.

¿Se avergonzaba el doctor Gustavo Cárdenas del adolescente que se prestó a las sevicias de una humillación que duró, en su cuerpo, mucho más tiempo que el encerrado en algunas horas de algunas pocas noches, y algunas pocas tardes?

Besámelos, dijo Paula Aráoz, y acercó a los labios de Gustavo sus anchos pezones. Y Gustavo, los labios palpitantes y extenuados, los besó. Y pasó su lengua por los anchos pezones de la mujer alta y de carnes suntuosas.

Lengua y labios extenuados —extenuados antes de iniciar la caricia que la mujer exigía— sobre anchos pezones, sobre pechos blandos que la mujer sostenía con sus manos, por encima del borde negro de la enagua.

Y si ese aprendizaje se inició en una tarde de invierno, la tarde se hizo noche, y el anochecer se hizo noche y más noche, y el mediodía anocheció.

Paula Aráoz estuvo sentada, aquella tarde, aquel anochecer, aquella noche de invierno, en una silla con apoyabrazos afelpados, los pechos al aire.

Y la lengua y los labios de un Gustavo adolescente acariciaron esos pechos.

Paula Aráoz suspiró.

Paula Aráoz se quejó, suavemente se quejó, los ojos cerrados.

Paula Aráoz, los ojos cerrados, recibió, entre sus muslos poderosos, el deseo del Gustavo adolescente, que ella alimentó sabiamente.

Paula Aráoz era devota de las escenografías finiseculares.

En algún momento de ese invierno, la voz grave de Paula Aráoz dijo *andate*.

Mami alcanzó a preguntar a Papi, antes de que el corazón de Papi revelase que una *angustia devastadora* corroía sus resistencias, qué había cambiado en Gustavito.

No me vas a negar, Papi, que Gustavito cambió... Gustavito no es el de antes.

Papi sonrió.

Papi, que sonreía, dijo, la voz teñida por la nostalgia de algo que fue tan breve como un rubor, que mami no debía preocuparse. *Nada grave, mami: Gustavito está despidiéndose de su adolescencia... Una edad, la de Gustavito, tan, ehhh..., tan compleja... eso es... Tal vez esté afligido por el viaje de su amigo Daniel a España.*

Y a nosotros, mami, nos llegó la hora de aceptar que Gustavito empieza a reconocer sus obligaciones de hombre.

Paula Aráoz cruzó la cara de Gustavo de un cachetazo.

No me llamés por teléfono... nunca. Nunca. Por nada.

El segundo cachetazo tumbó a Gustavo sobre la cama de cobertor morado.

El doctor Gustavo Cárdenas, que va en busca de lo que Paula Aráoz le confió en una noche de invierno de 1977, no encontró, a lo largo de veinte años, razones para desmentir al adolescente que se dijo que Paula Aráoz tenía miedo.

Crónicas adulteradas por la oralidad avisaron que eran leyenda en España, patria del coraje.

Y de España se dijo que era cuna de hombres que no temían morir, y de mujeres de ubres orgullosas, lenguas y agujeros indomables, donde quiera que se buscasen esos agujeros.

Paula Aráoz no desmintió la intrepidez de quienes, portadores de un linaje, eligieron no tener compasión de sí mismos. Ni de perros, ni de gatos, ni de ratas. Ni de viejos, ni de recién nacidos. Apenas, sí, de caballos, domados o no.

Cuando un Aráoz, hembra o macho, decía *no*, decía que sus agallas estaban en juego.

Lo demás venía escrito en el azar.

En el filo de un cuchillo.

En la curva de un sable.

En el gatillo de una pistola.

Agallas, los Aráoz. Hombres y mujeres. Mujeres y hombres. Agallas.

Esa noche, Paula Aráoz dijo:

Cuando quiera verte, te llamo... ¿Entendiste?

Sí, señora.

Repetilo.

Usted me llama, señora.

Agregá unos leños a la salamandra... Tengo frío.

Sí, señora.

Esa noche, Gustavo, un adolescente, supo que Paula Aráoz tenía miedo.

Papi presidía, todavía, la mesa a la que se sentaban, noche a noche, mami a su izquierda, y Gustavo a su derecha.

Papi, todavía, y mami, y Gustavo, miraron, en silencio, la pantalla del televisor.

No había, ya, en la pantalla del televisor, enmascarados que gritaban consignas aterradoras. No había guaranguerías ni risas desaforadas en la pantalla del televisor. Ni mujeres desnudas. O casi.

Se rezaba a Dios, en la pantalla del televisor. Se solicitaba, a Dios, su bendición para la Patria a salvo del ateísmo y de la subversión.

Papi, todavía, mami y Gustavo, miraban a la hora de la cena, la pantalla del televisor.

Miraron, Papi, mami y Gustavo, protegidos por el techo y las paredes de la casa que Papi, todavía, y mami, levantaron con trabajo honrado y perseverancia, en el barrio Norte de la ciudad de Buenos Aires, las paredes de otra casa, agujereadas por balas disparadas desde dos autos en marcha. Eso miraron. Eso informó una voz en off. Y la voz en *off* informó que la señora Paula Aráoz, una conocida dama de la sociedad porteña, que se encontraba en los jardines de la mencionada casa, recibió un disparo mortal en el pecho.

Vení.

El doctor Gustavo Cárdenas camina por una calle tranquila y oscura de Buenos Aires.

Hay perfumes de jardines, atenuados por la noche y por una brisa fría.

El doctor Gustavo Cárdenas, que supo esperar, y va en busca de una apuesta, sacude, cuando se acuerda, caspa y algunos cortos y secos pelos que caen, intermitentes, sobre las hombreras de su saco.

Turno

—Mujeres —dijo el penado alto.

WILLIAM FAULKNER,
Las palmeras salvajes

No hay más que esto

—Vos vas a ser mi marido —dijo Gertrud—. Y ninguna otra cosa que eso.

Yo soy su marido, todavía, y ninguna otra cosa que eso.

Quien haya leído la nota de cien líneas que apareció en la página 5 del único diario de Loay, se enteró de que en la capital de la provincia hubo un juicio, y de que Gertrudis Luro Krauss (42) fue absuelta, y Antonio Acuña (19) fue condenado a 25 años de prisión por la muerte de Francisco Uribe (27), a quien le voló la cabeza de dos balazos de una 38, disparados a un metro de distancia. La defensa del "Tony" Acuña adujo estado de emoción violenta.

Loay es una ciudad de siete mil habitantes.

Loay dista 300 kilómetros del Atlántico y vaya uno a saber cuántos de la Cordillera de los Andes.

Y yo, hasta que a Gertrud la absolvieron de culpa y cargo en el juicio por la muerte del Pancho Uribe, fui gerente del Banco de la Nación de Loay.

Había cumplido treinta años cuando me nombraron gerente, en 1986, del Banco de la Nación de Loay.

Mi padre fue gerente del Banco de la Nación de Loay durante treinta y cinco años. Y mi abuelo, por otros treinta y cinco.

Mi abuelo decía que alcanzó a conocer a pobladores que formaron en los ejércitos del general Julio A. Roca. Y decía que el general Roca repartió campo y ovejas y vacas para que sus soldados se asentaran en el Sur del país, y el Sur del país fuese otro país, y tuvieran hijos y nietos, y el mundo supiera —y los chilenos supieran— que estas tierras sin fin, y estos bosques, y estos lagos, y estos vientos pertenecían a criollos de ley. Criollos los padres, criollos los hijos, criollos los nietos, y criollo Dios, para fortuna de los argentinos. Eso decía mi abuelo.

Y decía que conoció al general Bartolomé Mitre. Decía que se lo cruzó por la calle Florida, en Buenos Aires. Y que saludó al general Mitre.

Decía mi abuelo que se descubrió, que se quitó el sombrero ante el general Mitre, en la calle Florida, allá, por el centro de la ciudad de Buenos Aires. Y que el general Mitre se tocó el ala del chambergo.

Alto el general, decía mi abuelo. Y recto como una estaca.

Daba frío mirarlo, decía mi abuelo. Era como mirar a la patria, pero de pie.

Culto, el general. Y escribió la historia de la patria con la serenidad de quien ama lo imposible.

Un emperador romano, el general, paseándose entre gauchos bárbaros, que clavaban sus dagas en los mostradores de las pulperías al grito de *Viva Rosas*.

Mi padre, entonces, le palmeaba el hombro: *Está bien, padre... Está bien... Cuide ese corazón, padre.*

Dinastía gerencial, la de los Fullner.

Mi abuelo, Simón Fullner, se inició como chico de los mandados en el Banco de la Nación de Loay.

Le golpeabas la puerta de su casa a Simón Fullner, a las tres de la mañana, la lluvia del Sur cayéndote, mansa, sobre la cabeza y la espalda, y cuando el abuelo te abría esa puerta alta y pesada, en calzoncillos, parpadeando, un poncho echado sobre el cogote, y le decías que tu mujer gritaba como una loca, y qué carajo podías hacer, y que no había un médico en Loay ni en el infierno, el abuelo te sonreía, casi tan alto y fuerte como la puerta de su casa, y decía, *pasá, que te estás mojando... ¿Querés tomar algo?*

Y allá se iban los dos, a caballo, y llegaban a tu casa, y vos, que habías afrontado tormentas, vientos que te cagaban de miedo, y levantaban techos, y volteaban árboles, te enterabas de que tu mujer estaba a punto de parir, y Simón Fullner te sonreía, el chico de los mandados te sonreía, y el gerente del Nación te sonreía, y se lavaba las manos en una palangana de agua caliente, y te pedía una toalla, *bien limpia la toalla, ¿eh?*

Simón Fullner se casó, pero antes le crecieron los bigotes, y cuando era, ya, un hombre serio, casado, y con bigotes, lo nombraron cajero del Banco de la Nación de Loay, y le dieron una semana de licencia paga.

Mi abuelo viajó a Buenos Aires con mi abuela, y los dos se instalaron en un hotel modesto pero limpio de la Avenida de Mayo.

Y mi abuelo decía que el viaje a Buenos Aires fue como si se le ensancharan los confines del mundo.

Estaba la Avenida de Mayo, dijo mi abuelo, y estaban sus hoteles, y estaban los pasajeros de los hoteles, argentinos o extranjeros, pero caballeros todos, por si quieren saberlo.

Estaba la Casa de Gobierno, y allí trabajaban el presidente de la República y sus ministros. Se preocupaban, el presidente y sus ministros, por nosotros, los pobladores del Sur, pocos como éramos.

Estaban los cafés de la Avenida de Mayo, limpios y acogedores los cafés de la Avenida de Mayo, y algunos con vitroleras silenciosas y aplicadas a su tarea, decía mi abuelo, como si leyese, en voz alta, una nota de color en *La Nación*, su diario preferido.

Cuando volví a Loay, dijo mi abuelo, *me enteré del asesinato de no recuerdo qué príncipe austríaco o húngaro. El tipo se exhibía —perdóneme la grosería— del brazo de una puta, en una playa del Adriático, y Francia e Inglaterra le declararon la guerra al Káiser. Bendije a Dios que creó la Argentina tan lejos de un continente que se asesinaba con pestes, con rabias, y con invasiones de imperios por otros imperios.*

Y mi abuelo dijo que bendecía al presidente de la República, pese a que el presidente de la República era un matón del radicalismo, por mantener al país fuera de ese desatino sin nombre que era la guerra europea.

La decisión del presidente, dijo mi abuelo, aumentó las ganancias de los hacendados, y el trabajo de los frigoríficos, y el volumen de responsabilidades del Banco de la Nación.

Mi abuelo volvía extenuado a casa, contaba mi padre. Pero a los dos o tres años de aquella guerra, de la que informaba, casi al minuto, el diario que fundó el general Mitre, lo nombraron gerente del Banco de la Nación de Loay.

Simón Fullner, gerente durante treinta y cinco años, del Banco de la Nación de Loay.

Yo nací en 1956, a un año de que algunos generales y algunos almirantes voltearan al general Juan Domingo Perón, disparando cuatro tiros al aire.

En la casa que construyó mi abuelo, y que, cuando mi abuelo murió, habitaron mi padre y mi madre, vi, a comienzos de 1980, un largo documental que llevaba por título *Los días de septiembre*.

Era enero, y llovía en Loay.

Dos semanas de lluvia sobre los techos de las casas de madera de ciprés encerado de Loay; sobre las rosas amarillas y rojas de Loay, de grandes pétalos, que crecían en los canteros de las casas de madera enceradas, y de césped cortado a la inglesa.

Llovía sobre los altos coihues, que se volvían negros contra el cielo gris a la hora del crepúsculo.

Llovía sobre la belleza del silencio en las noches de Loay.

Y ahí estaba Perón, en la pantalla de tevé,

alto, de espaldas, sin sombrero, encorvado, que subía a una cañonera paraguaya.

Don Bartolomé Mitre, dijo mi abuelo, fue comandante en jefe de las fuerzas que llevaron orden y ley al Paraguay de Solano López. Y no hubo general argentino que se pensara tan infame como para traicionar su juramento de fidelidad al presidente de la Nación.

Este país no tiene cura, dijo mi abuelo.

En 1956 nombraron a mi padre, Alejandro Fullner, gerente del Banco de la Nación de Loay.

Premio, dijo mi madre que dijo mi padre cuando le informaron del ascenso. Y mi madre dijo que mi padre me alzó de la cuna, y me sostuvo entre sus manos bajo la luz de las lámparas de la casa de maderas enceradas, y rosas de grandes pétalos en el jardín de la casa de maderas enceradas.

Todavía el Banco de la Nación otorgaba créditos a chacareros, ferreteros, dueños de proveedurías, compradores de los autos que la Fiat producía en sus fábricas de Córdoba, solteronas que abrían casas de modas a lo largo de las calles empedradas de Loay, incluyendo a la regente de un prostíbulo que gozaba de las indulgencias de funcionarios influyentes.

Mi abuelo dijo que este país no tiene cura.

Mi padre dijo, a lo largo de años, y a la hora de la cena, que la Argentina progresa.

Y dijo, mi padre, que el país estaría entre las primeras civilizaciones de la tierra, o del mundo de habla hispana, si lo gobernasen personas honestas. Y patriotas.

Mi padre dijo que yo, en el Banco de la Nación de Loay, no me iniciaría como el abuelo: ingresar al Banco de la Nación, hoy, a mediados del siglo veinte, como chico de los mandados, era condenarme al fracaso.

Mi madre aprobó las palabras de mi padre, y me preparó, prolija y en silencio, la valija que llevaría conmigo a Buenos Aires.

Largo viaje el de Loay a Buenos Aires.

Llegué prevenido a Buenos Aires. Prevenido contra sus tentaciones, sus brillos, sus desamparos.

Busqué, de inmediato, una pensión de la que era dueña una familia que mi padre conoció a los pocos años de que lo nombraran gerente del Banco de la Nación de Loay. La familia de los Pacheco. Padre, madre e hija. Don Santiago Pacheco, doña Isabel Pacheco, y Cristina Pacheco.

Vendieron, los Pacheco, su almacén de ramos generales en Loay, pero el dinero de la venta no les alcanzó para comprar una pensión, en Buenos Aires, por el barrio de Flores, a la altura de Rivadavia y Nazca.

Mi padre les firmó, a los Pacheco, el crédito que necesitaban. Sin avales ni garantías firmó, mi padre, el crédito. Eso ocurrió en una Argentina que pudo ser. Sonrío, y sé que mi sonrisa no es melancólica. No apelo al espejo, ese recurso de novela barata, para saber que mi sonrisa no es melancólica.

Y en esa Argentina que no fue, Don Santiago Pacheco se comprometió, ante mi padre, a devolver, mes a mes, en dieciocho meses, el dinero que le había facilitado el Banco de la Nación de Loay. Y los intereses que correspondieran.

Ni una palabra más, Don Santiago, dijo mi madre que dijo mi padre. Y los dos hombres se pusieron de pie, en la oficina de mi padre, y se dieron la mano.

Eso contó mi madre que contó mi padre, vaso de whisky en mano, una noche de Loay.

Los Pacheco prosperaron, y repusieron, en término, al Banco de la Nación, el dinero que el Banco de la Nación les facilitó, incluidos los intereses.

Mi padre me recomendó que no aceptase que los Pacheco me propusieran que ocupara una de las piezas de su pensión, gratuitamente.

Los Pacheco se abstuvieron de incurrir en esa generosidad que les supo, tal vez, resabiada, y no fortuita.

La pieza que ocupé era espaciosa y con buena luz. Una alfombra con dibujos de colores vivos cubría el piso de la habitación. Y el botiquín del baño parecía recién instalado.

Dos mucamas, entradas en años y en grasas, se encargaban de la limpieza de las habitaciones, patios, inodoros, piletas y otros recovecos que propiciaban la misantropía.

Hablaban lo necesario, las mucamas, pero mantenían el ojo alerta. Yo me dije que, seguramente, habrían revisado mi equipaje. No, nada que atentara contra las buenas costumbres, ni siquiera un condón, en la valija que traje de Loay. Apenas, mis apuntes y mis libros de estudiante de Ciencias Económicas y, tal vez, una novela de Julio Verne. O de Conrad, tal vez.

Mi padre me habló de los teatros de la calle Corrientes.

Me dijo, mi padre, que evitase los espectáculos groseros. Que abundaban, dijo. Y contó que había escuchado a Berta Singerman, en un lujoso escenario de Buenos Aires eso de *botas, botas, botas.*

Mi padre abrió los brazos en cruz, y alzó la cabeza hacia las luces que pendían del techo, y con una voz grave, y que pretendía ser majestuosa, dijo lo de *botas, botas, botas.*

Mi madre y yo sonreímos. Educadamente. Y mi padre nos miró desolado.

Me recibí de contador en la Facultad de Ciencias Económicas de la Universidad de Buenos Aires, en 1978.

Buenos Aires se había vuelto inhóspita y cruel. Y silenciosa. Y aséptica.

Los baños de la Facultad no eran solo el transitorio espacio de torpes acrobacias sexuales: también, el territorio donde circulaba la información acerca de desapariciones de compañeros de curso, de profesores, alumnas cuyos muslos supieron de la crispada efusividad de unas manos que las maltrataban, por encima y por abajo del borde de medias negras o caladas.

Una noche, al finalizar la cena, nos quedamos solos Don Santiago Pacheco y yo, y miramos —recuerdo— el humo de nuestros cigarrillos ascender hasta los fluorescentes del comedor.

Don Santiago suspiró, y llenó nuestras copas con un vino espeso y rosado, y murmuró:

—Hijo, mejor te vuelves a Loay... Aquello es otro país.

—Pensé en eso, Don Santiago...

—¿Tienes dinero para el pasaje de tren?

El futuro gerente del Banco de la Nación de Loay aprendió, en esa noche, a no formular, ni en voz baja, juicios imprudentes, y a considerar que una persona no siempre es lo que parece ser.

—Tengo —le contesté—, pero muchas gracias, Don Santiago, en nombre de mis padres.

Hombres como Don Santiago también podían lagrimear.

Volví a Loay, tres días más tarde. Largo el viaje al otro país.

Porque Loay pertenecía a otro país. Los almacenes de Loay eran carnicerías y, además, vendían biromes, zapatillas, dentífricos, algún perfume.

Había seis policías en Loay: tres vigilantes, un cabo, un cabo primero, y un oficial. Tomaban mate de día y de noche con la yerba que les regalaban los almaceneros, y comían los pastelitos y las hamburguesas y la carne fría que traían de sus casas.

El asado era, todavía, el plato de la democracia argentina. Igualaba, en la mesa, al criollo que calzaba alpargatas y a mi padre, gerente del Banco de la Nación, y a los dueños de estancias que tardaban días y días en galoparlas.

Allí estaba mi padre, en casa, agotado por entrevistas con pobladores y comerciantes, y llamadas telefónicas, y cobros de créditos atrasados, y otras rutinas de un banco que crecía en un país rico, y satisfecho con sus mitos.

Estaba allí, mi padre, agotado, y en casa, y con largo vaso de Gancia y fernet entre sus manos, al que daba largos y lentos tragos, y mamá y yo sentados cerca de él, frente al televisor, y los tres, en silencio, miramos y escuchamos.

El Presidente, vestido de civil, impecables la corbata, la camisa, el saco oscuro abrochado, y anteojos de gruesa montura nos decía que las Fuerzas Armadas salieron de los cuarteles para salvar al país del quebranto económico y del caos político, y que el país se encaminaba a su destino de grandeza y a reinsertarse en el concierto de las naciones más adelantadas de la Tierra.

Y el Presidente exhortó a los argentinos a no desfallecer en el esfuerzo.

Mamá apagó el aparato de televisión y papá preguntó *¿qué tenemos para la cena?*

En el otro país hay coihues que se plantaron hace cincuenta años. O cien. Esto creo que ya lo dije, pero ¿qué importa si ya lo dije, donde sea, o aquí, para mí?

Y hay abetos en el otro país, y mi padre dijo que esos abetos los plantaron alemanes, pobladores alemanes, por el año 1940.

Los abetos que los pobladores alemanes plantaron en Loay, por 1940, eran, en 1983, unos árboles hermosos y fuertes.

Ese año, los militares se retiraron del gobierno.

Yo iba a suceder a mi padre en la gerencia del Banco de la Nación, en una ciudad que aún crecía. Lentamente, pero crecía. Y cuyos adulterios y puteríos se comentaban a la hora de la cena, en mesas de familias que tenían asegurados techo y trabajo. Y ocasionales contriciones en las iglesias católicas de Loay.

Y en 1983, el país votó por un presidente constitucional.

Los radicales de Loay, hombres maduros ellos, y, además, comerciantes y profesionales, festejaron, sin desbordes, el triunfo electoral de su candidato.

Los peronistas más conspicuos de Loay, esto es, la mayoría de la dotación policial, un juez de faltas, dos o tres porteros y dos o tres eternos aspirantes a diputados provinciales, salieron a pescar por los lagos cercanos, a descubrir el paisaje que los vio nacer, o a no mezquinarse en el prostíbulo de madame Sorel.

Pero los abetos, que crecieron desde 1940, y que, al crecer, yo los vi hermosos y fuertes, dañaban, decía mi madre, la armonía ecológica de los bosques de Loay.

Nazis los que plantaron esos abetos, dijo mi madre con un énfasis que me asombró. Y vos lo sabés, le dijo mi madre a mi padre, sin levantar los ojos de los platos hondos con dibujos de rosas pálidas, y probablemente exangües, y ramas horizontales de hojas verdes, en los que volcaba la sopa con un cucharón de acero. Se fueron a Alemania, dijo mi madre, y la sopa humeaba en el cucharón de acero, y se alistaron en los ejércitos de Hitler, para que Hitler ganase la guerra. Y los que se quedaron en Loay fueron nazis también, y sus hijos, que ya están viejos, lo son. Y sus nietos lo son.

Eso dijo mi madre, algunas noches, y mi padre extendía los brazos, y recibía en sus manos el plato de sopa, y lo colocaba exactamente en el centro de su individual, y después servía vino en la copa de mi madre, y en la suya, y en la mía.

Yo creí descubrir a otra mujer, en esas contadas noches en que la furia empalideció la cara de mi madre, y llevó su voz a titubeos y pozos de silencio como si la hubiesen privado del idioma, de la lengua, del cerebro.

La mujer pequeña, discreta, reservada en sus opiniones acerca de conocidos y amigos de mi padre, tenía un botiquín con medicamentos prolijamente ordenados, y que destinaba a prevenir sus frecuentes jaquecas y dolores intestinales. Y esa mujer pequeña, reservada en sus opiniones acerca de familiares lejanos o cercanos, y amigas con las que intercambiaba libros de cocina o números atrasados del *National Geographic*, nos dijo, a mi padre y a mí, en ya no me acuerdo qué noche de Loay, que cuando perdiera la lucidez, a la edad de los viejos, la internáramos en un geriátrico.

Por favor, Alejandro y, por favor, Matías, que sea bueno el geriátrico. Paguen, en tiempo, la cuota mensual, y olvídense de mí, dijo, con una pálida sonrisa en los labios. Y serena, la sonrisa.

A papá le gustaba el champán. Y a mí me gustaba el champán.

Los dos tomamos champán, y del bueno, para celebrar, él y yo solos, en la casa que el abuelo levantó en las afueras de una ciudad rodeada de lagos, y árboles y viento.

Celebramos que me hubiesen nombrado su sucesor en la gerencia del Banco de la Nación de una ciudad que no suele figurar en los mapas de la República.

Treinta y cinco años fue, mi padre, gerente del Banco de la Nación de Loay.

Y mi padre, con la copa en la mano, dijo:

—No son buenos tiempos, estos, hijo.

Yo sonreí, y dije:

—Terminemos la botella: mañana es sábado.

Mi padre murió un sábado, siete años más tarde de ese festejo entre hombres, de ese brindis por la perdurabilidad de una dinastía.

La madre de Gertrudis llegó a Loay en 1948.

Era joven la madre de Gertrudis cuando llegó a Loay. Huyó del avance de las tropas siberianas del Ejército Rojo.

Eran insensibles los siberianos del Ejército Rojo a los ruegos de las mujeres alemanas, fuesen ancianas o no, adolescentes o no. Las violaban en los graneros y entre las paredes incendiadas de las casas y de las iglesias. Y mataban a los viejos, a los sacerdotes, a los perros. Eso contó la madre de Gertrudis. Y contó que ella pudo escapar pocas horas antes de que los mongoles ocuparan su aldea natal.

La madre de Gertrudis llamaba mongoles a los soldados de los destacamentos siberianos del Ejército Rojo. Mongoles despiadados y salvajes, dijo de los siberianos la madre de Gertrudis cuando aprendió el castellano.

Abrió, la madre de Gertrudis, una cafetería en Loay.

Nunca me pregunté, ni mi padre tampoco, de dónde provino el dinero que la madre de Gertrudis invirtió para comprar los cincuenta metros cuadrados del local que fue, después, unos pocos meses después, la cafetería más concurrida de Loay.

Los avales que la madre de Gertrudis presentó, en el Banco de la Nación de Loay, eran irreprochables: ciudadanos alemanes, instalados en la capital de la provincia desde 1936. Un ingeniero y un médico, dueños, ellos, de campos, hacienda y alguna hostería. Y donantes reconocidos a las obras de beneficencia del obispado de la provincia.

Mi padre aprobó el crédito que la madre de Gertrudis solicitó al Banco de la Nación de Loay.

La madre de Gertrudis contrató a una profesora para que le enseñara a hablar en español (no en argentino), y a leer y escribir —eso sí— como leen y escriben los argentinos cultos.

La madre de Gertrudis se casó con un guía de montaña. Mariano Luro se llamaba el guía de montaña con el que se casó la madre de Gertrudis. Llevaban tres años de casados cuando nació Gertrudis.

Gertrudis, única hija de Mariano Luro y Helena Krauss, nació en Loay, como yo.

La madre de Gertrudis le enseñó a ser obediente y disciplinada. Le enseñó, con una severidad que no se daba tregua, qué es la disciplina, y qué es la obediencia. Y qué, la prolijidad.

Le enseñó a preparar masas secas con harina, manteca y azúcar, a las que incorporaba nueces, coco y castañas de Cajú. La madre de Gertrudis llamaba *Kuchen* a esas masas. *Kujen*, cuando las nombraba en voz alta con su correcto español, pero algo gutural su español correcto.

Y le enseñó a preparar pastel de manzanas, revestido, el pastel, con una crema espesa y abundante.

Le enseñó a ser amable y distante con quienes concurrían a la cafetería.

Le enseñó a ser Gertrudis Luro Krauss.

Le enseñó qué debía ser Gertrudis Luro Krauss para Gertrudis Luro Krauss, y qué debía ser Gertrudis Luro Krauss para los otros.

Yo vivía solo en la casa que mi abuelo construyó en las afueras de Loay.

Yo era gerente del Banco de la Nación de Loay.

Yo iba al Banco de la Nación de Loay, desde la casa que construyó mi abuelo, en un Renault que cambiaba todos los años. Y volvía á la casa que construyó mi abuelo en el Renault que cambiaba todos los años.

Yo era el primero en llegar al Banco de la Nación de Loay, y el último en irme.

Aprendí a cocinar. Leía recetas en un ajado libro que usó mi madre casi con devoción, y cuya autora fue Doña Petrona de Gandulfo, y me complacía en cambiarles los ingredientes a las recetas, en disminuir o aumentar el tiempo de cocción. O en mandar al diablo el entretenimiento, y asar un chorizo o dos en una parrilla que entraba por la ventana de la salamandra, y destapar una botella de vino chileno, y prender el televisor, y sorprenderme con un Max Von Sydow turbado y frágil.

Me levantaba a las seis de la mañana, mientras fui gerente del Banco de la Nación de Loay, y alisaba sábanas, frazadas y almohada, y, enseguida, me afeitaba y me duchaba. Camisa limpia, *slip* limpio, medias limpias, corbata a tono, zapatos lustrados.

Dos tazas de café, dos tostadas untadas con manteca y mermelada casera, que compraba en las proveedurías de Loay. (Alguien, la hija de una mujer que sirvió a mi madre, se encargaba de la limpieza de la casa que construyó mi abuelo para siempre, y con el consentimiento de Dios, como dijo mi abuelo.)

Y el señor Matías Fullner subía a su Renault, el sabor del café en la boca, y al cabo de quince minutos de conducir, a una prudente velocidad, por una ruta silenciosa y, en invierno, aún a oscuras, se instalaba en la oficina del gerente del Banco de la Nación de Loay.

Eran las ocho menos diez de la mañana, y yo leía los títulos del único matutino que aparecía en la ciudad.

Leía que el gobernador de la provincia negaba que hubiese intentado comprar el voto de un diputado de la oposición para que se aprobase un emprendimiento inmobiliario valuado en diez millones de dólares. Leía que, en Buenos Aires, criminólogos, teóricos del Derecho, altos oficiales de las fuerzas de seguridad, profesores eméritos de la Universidad coincidían en que el asesinato de una alta dama de la sociedad, presuntamente inspirado por su esposo, quedaría impune.

Cerraba el diario: era lo que debía leer. O de lo que necesitaba enterarme. El resto era trabajo de mi secretaria, y, por la noche, del televisor, cuando me instalaba frente a su pantalla, con un vaso de whisky en la mano.

Eran las ocho de la mañana: Matías Fullner, sano, lúcido, limpio, afeitado, camisa limpia, zapatos lustrados, corbata a tono, y pese a que su padre anunció, dolorido, confuso, que estos no serían buenos tiempos para el país, puso en sus labios la sonrisa de gerente del Banco de la Nación de Loay.

La vida social de Loay siempre fue intensa, que yo recuerde. Bailes organizados por la Sociedad de Fomento. Música moderna, *reggae*, cuarteteros, jazz, y todo eso.

Dos o tres conferencistas traídos de Buenos Aires que suscitaban perplejidades y aburrimientos invariables en ancianos perfumados y algo sordos, y señores que presumían de cultos porque leían, voraces, las novelas de un escritor cuyas osadías escatológicas eran cita obligada, y aun permanente, de la crítica bibliográfica.

Yo no participaba de esas modestas efusiones provincianas. Asistía, naturalmente, a los festejos patrióticos del 25 de Mayo y del 9 de Julio: prendía una escarapela en la solapa de mi sobretodo, subía a la tribuna que empleados de la Municipalidad habían levantado en las puertas de la intendencia de Loay, saludaba al cura, al jefe de los policías y bomberos de Loay, al director de la escuela secundaria de Loay, al director del hospital de Loay, a los dueños de los comercios más importantes de Loay, al dueño del único diario de Loay, y ocupaba, en la tercera fila de patriotas argentinos y honorables, el lugar que me habían asignado.

No escuchaba los discursos del intendente ni del director de la escuela secundaria: alzaba los ojos y miraba, por encima de los techos de la ciudad, las ramas de los coihues, y la silenciosa tristeza del cielo de Loay. Aplaudía cuando los otros aplaudían; sonreía cuando los otros sonreían.

Yo era uno de los pocos argentinos que tenían asegurado su futuro: por lo tanto, era un patriota. Yo era gerente del Banco de la Nación de Loay. Hasta que Gertrudis me dijo *vos vas a ser mi marido, y ninguna otra cosa que eso.*

Una tarde, Gertrudis pidió verme.

—Soy Gertrudis Luro Krauss —me dijo Gertrudis Luro Krauss.

—Sí... Por favor, siéntese, señorita...

—Llámeme Gertrud, señor Fullner... Con acento en la u. *Gertrúd* —y Gertrud, con acento en la u, habló mientras tomábamos café. Ordené a mi secretaria que comunicase a quien fuera, incluido el gobernador de la provincia, que estaba ocupado, y que me llamase, quien fuera, incluido el gobernador de la provincia, al día siguiente.

Gertrud dijo que deseaba ampliar la cafetería que heredó de su madre.

—Comida rápida, señor Fullner.

—Entiendo.

—Los empleados del Banco, de la Municipalidad, médicos y enfermeros del hospital, comisionistas... Comida rápida, barata y abundante... Dos mesas de billar...

—Los tiempos que corren no favorecen a negocios como el que usted se propone levantar, señorita Krauss.

—Gertrud, para usted, señor Fullner... Con acento en la u.

—Oh, gracias, Gertrud —y le dije a Gertrud, sin la deliberada lentitud con que abría mis labios para la sonrisa gerencial, que me llamara Matías.

Gertrud, con acento en la u, añadió comidas rápidas a los pasteles de manzanas, los pastelitos criollos de dulce de membrillo y dulce de batata, y otras exquisiteces modestas y saludables que vendía en su cafetería.

Y algunas noches, además, puso, en mi oído, la palabra Matías. Despacio, la puso. Como un secreto entre ella y yo. Susurrado, el Matías. Cálido en el oído. Y secreto.

Cubrió, Gertrud, las paredes de la cafetería con paisajes bávaros, y mujeres con cofias blancas en sus cabezas. Gordas las mujeres, y con caras rubicundas las mujeres. Y para que se ilustraran los indígenas sureños, el perfil torturado de Beethoven, en uno de los ángulos de las altas paredes de la cafetería. (Supe que ese perfil contrahecho, como afectado por un dolor de muelas, pertenecía a Beethoven porque así me lo aseguró Gertrud. Todavía, para mí, era Gertrud, con acento en la u.)

Y Gertrud, con acento en la u, me invitó a cenar en la cafetería. Y preparó, algunas noches, comidas típicas alemanas, que yo elogié con un canónico discurso gerencial.

Una de esas noches, la cerveza, las pesadas comidas alemanas, y también típicas, y mis funciones diurnas en el Banco de la Nación de Loay, me durmieron bajo las luces de la cafetería, en un sillón al que me condujo Gertrud, con acento en la u, aún.

Cuando desperté nada era menos parecido a una pesadilla que la cara de Gertrud.

Ella estaba sentada en el piso, a mis pies, y me había bajado los pantalones hasta los tobillos, y tenía mi pene en su boca. Y me miraba.

Yo, despierto, la miré. Nos miramos. Ella me sonrió. Y yo suspiré, que es la relajación obligada cuando una mujer le calienta, a uno, el pene con su lengua y su saliva, y el roce del filo de sus dientes.

Gertrud fue una hermosa mujer.

Lo es, todavía.

Pero envejecen las hermosas mujeres. Como ciertas normas que rigen el funcionamiento de los bancos.

Con cautela, con prudencia, el sistema —sea el sistema que sea— cambia sus normas. Rejuvenece algunas, cambia otras.

Las hermosas mujeres, las que fueron hermosas mujeres, apetitosas, deseables, carnívoras, dejaron de serlo. Y no hubo más secretos en sus noches. Y el sistema las reemplazó. Las reemplaza. Desde siempre, las reemplaza.

Saliva joven, lengua joven, boca joven, caricia joven, penas jóvenes. El mercado abunda, siempre, en ofertas jóvenes.

Loay asistió a nuestro largo noviazgo, espió mis incursiones nocturnas por la cafetería de Gertrud, nos miró por unos instantes, fugaces y serenos, viajar en mi auto con rumbos imaginables, a la hora de la cena.

También los gerentes envejecen.

Quiero decir que Gertrud y yo constitui-
mos, en Loay, un matrimonio moderno.

Las familias y los apellidos más represen-
tativos de Loay aprobaron que Gertrud y yo
fuéramos un matrimonio moderno, y que se
negaba a traer hijos al mundo; que ofrecía algunos encuentros en la casa que levantó el abuelo
a parejas jóvenes y desinhibidas; a algunos oficiales del Ejército que todavía no habían llega-
do al acartonamiento, a dos o tres hacendados
prósperos y sus esposas, y, también, a algún
poeta necesariamente desventurado.

Gertrud se dedicaba al champán; Gertrud
me guiñaba un ojo o los dos; Gertrud me mostraba sus sólidos muslos y las curvas imponen-
tes de su culo; Gertrud me besaba el cuello.
Gertrud se aburría.

—Gertrud —dije, sentado en nuestra cama matrimonial, una noche que nevaba en Loay.

—Sí —dijo Gertrud, y giró su cuerpo hacia mí.

—Gertrud: buscate un tipo joven, un
amante que te merezca —dije, y sonreí, en una
noche que nevaba en Loay.

Yo sonreí, esa noche, en el dormitorio a
oscuras. Le proponía a Gertrud, creo, un buen
negocio, sin trampas, sin ocultamientos, conve-
niente para los dos. (Y usé, además, una retóri-

ca que orillaba el romanticismo. *Un amante que te merezca.*)

Gertrud besó mis manos. Y, después, mis labios, mis párpados y, otra vez, mis labios.

Las cabezas más responsables del Banco Nación apreciaron que yo rechazase algunas recompensas, algunos beneficios de operaciones no bendecidas por la ley. A eso, se sabe, llaman *retorno*.

El rechazo a las tentaciones de la corrupción estaba incorporado a las tradiciones de la dinastía gerencial, desde su fundación. Y eso, en estos tiempos, no se explica. Oh, por Dios, Matías Fullner, de qué te jactás en esta ruta que lleva a algún lado, si es que lleva a algún lado. ¿De qué mierda te jactás, Matías Fullner? ¿Y por qué te sonreís, si es que te sonreís, Matías Fullner?

Mediodía en Loay.

Instante de actividad, abrumadora, en el Banco Nación. Largo el instante. Y agotador, ese instante.

Alguien me avisó, en ese instante de sonrisas crispadas, que en el local de comidas que Gertrud, con acento en la u, manejaba con eficiencia y prolijidad germánicas, un tipo joven había matado, a tiros, a otro tipo joven.

Yo no abandoné mi oficina.

Atendí los teléfonos; atendí a mi secretaria, que me contemplaba desolada; atendí a algunos clientes del Banco que necesitaban ser atendidos, y cuando me quedé solo, rodeado de objetos fríos, papeles, computadoras, archivos de metal pintados de gris, pantallas, teclados, el paisaje del Sur al otro lado de las ventanas, me pregunté si también los gerentes envejecen.

¿Envejecen los gerentes?

¿Nevó, ese mediodía, en Loay?

¿Nevó, ese mediodía, en Loay, cuando dos tipos jóvenes se disputaron el privilegio de acariciar la piel de Gertrud Krauss Luro en un hotel poco transitado, a cien kilómetros de Bariloche?

Crucé mis piernas sobre la tapa del escritorio de la gerencia del Banco de la Nación de Loay, y escuché al enviado capitalino de la presidencia del Nación. Nunca, que yo sepa, un Fullner había incurrido en la aberración de cruzarse de piernas sobre lo que fuera, mesa o no. Fue, para mí, como una recompensa a tanta, y tan idiota, formalidad sobreactuada.

El enviado elogió mi trabajo: dijo que mis diecisiete años de gerente del Nación de Loay fueron intachables, pero que se esperaba que yo comprendiera...

Encendí un cigarrillo: gocé, por unos segundos, contemplando el brillo de mis zapatos sobre la tapa del viejo escritorio que había heredado de mi abuelo y de mi padre, y puse, en manos del enviado, una hoja de papel. En esa hoja de papel escribí mi renuncia al cargo que había heredado de mi abuelo y de mi padre.

Y sonreí, también, claro.

Gertrud y yo vendimos lo que pudimos vender. Vendimos lo que nos quisieron comprar los repentinamente generosos habitantes de Loay, incluidos el cura y el comisario de policía.

Sé que los bienpensantes de Loay, argentinos y católicos de misa dominical, suspiraron, aliviados. Les resultaba insoportable, a los argentinos bienpensantes y católicos de misa dominical, que el deseo por una mujer se tradujese en una epifanía sangrienta.

—¿Y ahora? —preguntó Gertrud, con acento en la u, a mi lado, en el asiento delantero del coche que me llevó, por años, hasta la puerta del Banco de la Nación de Loay.

La miré, en la tarde de invierno del Sur. Gertrud, con acento en la u, aún era bella.

La miré, y le contesté, en voz baja, las dos manos cerradas sobre el volante del coche, y en esa hora de invierno del Sur.

—No sé. Ahora, no sé... Pero vos, vos vas a ser mi mujer, y ninguna otra cosa que mi mujer.

Carne cruda

A F. E.
A Amalia Sanz

—¿Es judío?

—Sí, ma.

—¿Cómo sabés que es judío?

—Sammy me dijo que lo llevaban, desde que era chiquito, al teatro.

—Tu hermana se casó con un cristiano.

—Yo no soy mi hermana, ma.

—Y mirá cómo le va... Yo le dije: Esther, le gustan los caballos... A los ingleses les gustan los caballos.

—Boby es empleado del gobierno, ma, no inglés.

—Yo, a los ingleses, los conocí en El Cairo.

—Sammy no sabe andar ni en bicicleta, ma.

—Contestame: ¿Sammy es judío?

—Lee a Einstein, ma: ¿qué más querés?

—¿Gana plata tu Sammy?: eso quiero saber.

—Sammy me dijo que trabaja en una cooperativa, ma. Horario de banco.

—Raquel: la verdad. Decime la verdad: ¿cómo sabés que es judío?

—Ma, a Sammy se le mojó el pantalón:

¿eso es malo?... Nos abrazamos, ma, la otra noche que hacía tanto frío, y Sammy dijo *no puede ser*. Bajito, dijo *no puede ser*. Y se quedó duro, mirándome. Y yo me asusté, ma. Sammy temblaba, y estaba duro, ma. Y yo creí que se moría.

—¿Te mostró que es un buen judío?

—Ma.

—¿Es sefardí o askenasi?

—Periodista, ma.

—Raquel: mirá dónde vivimos... Mirame a mí... Tu abuelo me dijo que Ahmed sería el esposo que yo necesitaba. Y yo conocí a Ahmed la noche que me casaron con él... Cuando llegamos a la Argentina, Ahmed murió: pulmones débiles. Y extrañaba las calles de Jerusalén. Y era poeta... Demasiadas enfermedades para un solo hombre... Lo enterramos en el cementerio de La Tablada. Y cómo cantó el rabino la tarde que enterramos a Ahmed... Fui a la sinagoga, y pedí ayuda... Me alquilaron esta casa. Y me dieron a Fuad... Hombre grande, Fuad. Y él nos mantiene a vos, a Uri y a mí. Y no es poeta. Y Fuad camina y camina. Y vende pañuelos, calzoncillos, corpiños, fotografías de Perón en mangas de camisa, enaguas, gorras. Y se acuesta con las sirvientas de las casas ricas... Vuelve con el canasto vacío de corpiños y medias y camisas, y peinetas, y fotografías de Perón vestido de militar, y me cuenta... Fuad se acomoda en esa silla, y suspira como si estuviese cansado, y me pide que le alcance la botella de anís... Fuad muere por el anís... ¿A tu Sammy le gusta el anís?

—Es virgen, ma.

—¿Carne *kosher*?

—Le encantan las papas fritas, ma, y el cine... Me invitó al cine de Liniers. Y me pagó una Coca-Cola y un tostado.

—¿Jamón?

—Me quiere, Sammy, ma.

—Fuad trabaja mucho los meses de verano... Los ricos se van al mar, a la montaña, a Europa, o vuelven a sus casas tarde en la noche. Y Fuad me cuenta que les regala bombachas a las sirvientas de los ricos. Y que las sirvientas de los ricos son locas como las gatas jóvenes... Los hijos de los patrones se acuestan con ellas. Y Fuad, cuando puede, se acuesta con ellas. No saben leer, me dice Fuad. No saben escribir, me dice Fuad. Son indias, me dice Fuad. Y Fuad llora, tirado en esa silla... No te enojes, Sara, me dice Fuad: son indias de Misiones, del Chaco... Y yo, Sara, soy un hombre, Dios me perdone... Raquel, Fuad está enfermo... ¿Tu Sammy podrá mantenernos?... Contestame, Raquel: ¿entendiste lo que dije?

—Sí, ma.

—Tu hermano Uri me prometió que, si se casa, se casa con una linda muchacha judía. Y que va a poner un negocio con la plata de la linda muchacha judía... Me costó cuánto Uri. Pero, miralo: ¿dónde viste otro muchacho como él?... Fuma, gana plata en el billar, en el póquer, y la plata que gana se la da a su madre. Es bueno, Uri, tan... ¿Tu Sammy come carne *kosher*?

—Juega al ajedrez, mami.

—Y los padres de tu Sammy, ¿van a la sinagoga?

—Compraron un departamento, ma, y pagan una hipoteca a treinta meses.

—Prestá atención, Raquel: hay una sola manera de saber si un hombre es judío...

—¿Lo invito a casa, ma?

—Carne cruda y anís, Raquel... Un rico plato de carne cruda con especias, y el anís de Fuad. Y yo te voy a enseñar cómo se consigue que un hombre sea tuyo, y busque lo que un hombre busca en una mujer, y te prometa cumplir lo que vos le pidas, y que el Dios nuestro lo mate ahí mismo si se olvida de lo que juró cuando besaba tus manos... Raquel, estoy vieja y cansada: trabajé mucho por todos ustedes... Contestame, Raquel: ¿tu Sammy nos va a mantener a Uri, a mí y a vos, hasta que tu hermano Uri se case y ponga un negocio, y se compre un auto, y venda la mercadería que cargó en el auto a las sirvientas en Tucumán, y vuelva a casa con mucha plata?

—Ma, la cama, ¿la trajiste de El Cairo?

Samuel Treift tomaba el tren en la plaza Once, los sábados, a eso de las cuatro de la tarde, y caminaba por los vagones en busca de un asiento y, cuando bajaba en Ciudadela, contenía la respiración.

Samuel Treift caminaba por los vagones del tren, y los vagones olían a las pieles, los cabellos, los zapatos y sandalias de gitanas viejas, desdentadas, de mandíbulas duras, vestidas con polleras de colores, y pañuelos sujetándoles el pelo, y a conscriptos de franco, y a mujeres de caras oscuras que le daban la teta a recién nacidos, envueltos en trapos.

Samuel Treift caminaba los vagones del tren que lo llevaba a Ciudadela, y Ciudadela viene después de Liniers. Para Samuel Treift, después del mundo.

El padre de Samuel era redactor de un periódico de la colectividad judía. Y el padre de Samuel había enmarcado, en la oficina donde se componía uno de los periódicos laicos de la colectividad judía, el *J'accuse* de Emilio Zola.

El padre de Samuel era un librepensador, y era ingenioso, y nunca le faltaba una ironía para los judíos que se habían enriquecido durante la segunda guerra mundial, y en los primeros años de la posguerra, y que aún leían a Isaac Babel.

El padre de Samuel Treift frecuentaba los cafés de la calle Corrientes, entre Pueyrredón y Riobamba, y era indulgente con las ansiedades de los que cantaron, en el pasado, *La Internacional*, y que en esos días de gobiernos militares, y ministros de Educación que parían torrenciales novelas antisemitas, no conciliaban el sueño, preocupados por plazos fijos, por las osadías pasionales de sus hijas, por el futuro que nunca llegaba, y por los inevitables estragos de la vejez.

El padre de Samuel Treift regresaba a su casa, olvidado de las ironías y de los sarcasmos que usó, a lo largo del día, para burlarse de las urgencias, para él detestables, de los que, en algún fugaz instante de su pasado, entonaron, exaltados o por hábito, ya reticentes, ya distraídos, arengas que instaban a la aniquilación de la burguesía.

En esas noches, el padre de Samuel Treift subía hasta su departamento y, en la oscuridad, encendía un cigarrillo, y se sentaba en el borde de la cama. Y sentado en el borde de su cama, se decía, fatigado, que amaba a las actrices del teatro judío, dueñas de grupas flexibles, y que amaba su desesperada sordidez. Creían, las dueñas de las hostigadas carnes, en las promesas de agentes artísticos que las invitaban a comer *borsht* frío con crema, y que se acostaban con ellas en hoteles silenciosos, y en habitaciones frías y asépticas. Y los agentes de cantantes, músicos, ilusionistas, narradores de fábulas que se comparaban con Buster Keaton, les decían, con énfasis, con filantrópica paciencia, que viajarían a Hollywood, y que las incluirían en el reparto de una película en la que actuase Joan Crawford o Bette Davis.

El papá de Samuel Treift escuchaba el idioma de los sueños de las partiquinas judías, y las invitaba, a veces, a tomar un cocktail, y les sonreía, y las consolaba, generoso, por los padecimientos que les infligía la realidad inenarrable y continua.

El papá de Samuel Treift, cuando se quedaba solo, olvidaba las caras tensas y mendicantes de las partiquinas judías y la crueldad de las mejillas angulosas de Joan Crawford. Pero se preguntaba por qué debía morir.

La mamá de Samuel Treift fumaba. La mamá de Samuel Treift era una mujer emancipada. Y nada que se dijese de ella sustituiría esa definitiva vocación.

Samuel Treift comió un abundante plato de carne cruda, y picada, y mezclada con especias, y tomó anís, y Raquel le ayudó a quitarse el saco, y a desabrocharse la corbata. Y Raquel le murmuró, al oído, que a su mamá la haría feliz su alabanza al plato de carne cruda. La boca de Raquel olía a especias.

La cocina era oscura, y el patio de la casa, largo y estrecho. Y crecían arbustos mentolados al otro lado de la larga y estrecha franja del patio.

Sara le sirvió, a Samuel Treift, un segundo plato de carne cruda. Sara caminaba descalza esa tarde de sábado, fría y nublada.

Samuel Treift le preguntó a Sara cuánto tiempo le llevaba preparar ese alimento de dioses. Sara musitó que era hora de visitar a los muertos, tiesos bajo sus cortas lápidas, allá, en el silencio y la bruma del cementerio.

Samuel Treift mencionó, la lengua pesada y el cuerpo increíblemente flojo, la civilización china, y la sabiduría de los emperadores chinos, y reconoció que el anís le evocaba, y rogó a Sara y Raquel que no se rieran de él, arena y camellos.

Raquel le besó el lóbulo de una oreja. Y Samuel Treift dejó que Raquel lo llevara a una pieza, que olía a algo, y que lo acostara en una cama que olía a algo.

Samuel Treift abrió los ojos, con esfuerzo, y supo que estaba desnudo. Y vio a Raquel, parada en la cama, las piernas abiertas a los costados de su cuerpo. Los tobillos de ella le rozaban, a él, las costillas. Y había, supo, también,

Samuel Treift, un rastro negro y tupido allí, por encima de los muslos de Raquel.

Lejos, los pechos de Raquel.

Samuel Treift estiró los brazos, todavía embotado por el licor.

—¿Me querés, Sammy?

—Raquel, Raquel...

—¿Mucho, Sammy?

—Raquel...

—¿Mucho, Sammy?

—Decime, vos, Raquel, qué tengo que decir...

—Voy a pensarlo, Sammy —susurró Raquel—. Dame tiempo, Sammy.

Raquel amordazó a Sammy.

—No te muevas, Sammy —susurró Raquel.

Raquel acarició a Sammy con la planta de sus pies, en esa tarde de sábado, fría y húmeda, y en esa pieza que olía a algo. La planta de uno de los pies de Raquel rozó los pezones de Samuel Treift, y, después, el ombligo. Y después le erizó el pene. Y, después, repitió la caricia con la planta del otro pie. Lo que alguna vez sería recuerdo, se posesionó del cuerpo de Samuel Treift.

—Quieto, ahora —dijo, en voz baja, Raquel.

Y Raquel, con la planta de sus pies, para atrás, y para adelante, en la piel del pene de Sammy. Y Sammy, amordazado, las manos en-

trelazadas sobre su cabeza, creyó, en esa tarde
de sábado, fría y húmeda, y en esa pieza que
olía a algo, que el mundo se constituía de pura
electricidad.

—Sí, ma.

El precio

Llueve, afuera, sobre las calles oscuras de Villa Lynch.

Sobre mis telares y la canillera brillan los fluorescentes.

Pérez y El Polaco no vinieron a trabajar.

El Polaco fue mecánico de aviación en Inglaterra, durante la última guerra. *Muchachas argentinas no gustar a mí... Yo convida cerveza y ellas... Chicas inglesas, buenas chicas...* Why not?... *Oh, sí:* Why not?

El Polaco se largaba a reír, y en sus dientes de oro relucía la saliva. Puro huesos, El Polaco. Alto, y duros los huesos. El pelo corto, muy corto, color tabaco. Casi siempre hablaba de la guerra. Y de los *Spitfire* que regresaban a sus bases, agujereados por los disparos de las defensas antiaéreas alemanas. *No problem.*

Estamos el canillero y yo, solos, en el largo y oscuro, y, a pesar de todo, silencioso galpón. Dos telares y dos canilleras en marcha, en el largo y oscuro y silencioso galpón. Y la lluvia que cae sobre las desoladas calles de Villa Lynch.

Y lo de siempre: no pensás en nada, pero allí donde depositaste tus ojos, corre un negro hilo de brea. ¿Qué hay en ese negro y brillante hilo de brea, que se desliza allí donde depositaste tus ojos? Sabés que en el negro y brillante hilo de brea no hay luz, ni lluvia, ni sonido. Cuando volvés de él, te encontrás con la luz, el sonido, la lluvia, los calabozos de la policía, las mujeres que no se abren de piernas, el coraje que te falta para subir a un tren que ruede hacia no importa dónde.

¿No?... Bueno: preguntá de eso a tejedores con veinte años de oficio entre las manos.

Tito está parado entre las dos canilleras que atiende, y mueve las manos, y trabaja, la cabeza gacha, y no sonríe, como otras noches, a propósito de nada.

Le pregunto a Tito si quiere tomar unos mates.

—Sí —dice Tito, y apenas despega los labios.

Las manos de Tito se mueven con destreza: saca las canillas llenas de los husos, pone las vacías, y acomoda las llenas en cajas de cartón. Tito tiene dieciséis años: Tito es, ya, un hombre.

Tito toma el mate sin mirarme. Vuelvo a los telares que atiendo, y cambio las lanzaderas. Buen trabajo el que me tocó: no se rompe un solo hilo.

—¿Pasa algo? —le pregunto a Tito.

—¿Qué?

—Si pasa algo...

—¿Me das un cigarrillo?

—Te doy.

—Pasó —murmura Tito, sin mirarme.

Tito se acomoda entre los dos telares Ruti que atiendo, y espera a que yo ponga en marcha el telar que se paró. Hay noches, con este buen trabajo que me tocó, que no se te rompe un solo hilo: podés facturar, si te toca un buen trabajo, sesenta y cuatro mil pasadas en ocho horas, y por telar. Mirás el reloj que marca las pasadas, y mirás el brillo del metal en las puntas de las lanzaderas, y gozás. Y no me preguntés qué gozás.

—La echó... El guacho de Adolfo la echó.

Sé a quién echó Adolfo. ¿Le digo a Tito, con la sonrisa de un hombre curtido, *tango no, Tito*?

—¿Viste cómo Adolfo la rondaba a la Turquita, cómo la miraba el hijo de puta, las cosas que le decía al oído?

—Vi, Tito.

—Se la montó, el hijo de puta... Y, después, la echó.

—Tito, Adolfo se la cogió un par de veces, y la echó.

—Decíme, Arturo: ¿estás hablando en serio?

Buen trabajo el *crepé*. Los telares marchan. Y el reloj. Quince minutos sin cambiar lanzaderas.

En el bolso de la vianda hay lectura que va a durar hasta la terminación de mi turno: *Una rosa para Miss Emily*.

Eso creía él: que dormía. Pero su oído le avisó que, en el galpón, los telares estaban parados. Los telares en funcionamiento sueltan una música que su oído reconocería donde sea que estuviese.

La mudez de las máquinas lo enfermaba. Necesitaba escuchar, no solo con los oídos, sino con la piel, con los poros, con la sangre, con la planta encallecida de los pies, la música, el galope parejo de los telares. Y no había música. Y no había galope. Había silencio. Adolfo despertó.

Adolfo supo, enseguida, que Pérez y el Polaco habían faltado. *Puta que los parió.*

Adolfo se sentó en la cama: una puntada en el riñón derecho volvió a tirarlo sobre el colchón. Adolfo respiró hondo. Como un cuchillo, el puntazo en el riñón. Adolfo respiró hondo, y todo lo que pudo, y cerró los ojos, y volvió a respirar hondo, todo lo que pudo. *Mañana, cuando lo agarre al Polaco... Si ponía el aviso hoy, en la puerta del galpón, la lluvia lo hubiera borrado... ¿Qué hace ése que no pone en marcha el telar?... Voy a tener que tomar un mecánico: ya no puedo levantarme a las cinco de la mañana, y pasarme quince horas en el galpón...*

—Rosa, Rosa...

Rosa estaba sobre él, desnuda, con su cara de pájaro.

—Tomá —dijo Rosa con una voz distante, baja y clara, alcanzándole una píldora rosada, y un vaso de agua. Tibias, las tetas gordas de Rosa, pendían sobre la cara de Adolfo.

Rosa murmuró, sobre él, aún:

—¿Estás mejor?

Adolfo escuchó correr el agua de la lluvia en la canaleta que bordeaba el techo de la galería, y recordó sus años de muchacho, el placer de dormir, joven y abrigado, mientras la tormenta corría, salvaje, por la calle.

La Historia acumula papeles que fingen ser vanos.

En esos papeles, la Historia escribió que la tierra de Europa era abonada con carne humana, con huesos humanos, y podredumbre humana. Y que Europa era una mancha de fuego y humo y vidrios, ladrillos, piedras, maderos y ríos calcinados.

En Villa Lynch, partido de San Martín, provincia de Buenos Aires, Argentina, sonó la voz de orden:

"Esta es la hora de progresar".

Una erupción de galpones —acumulación indiferenciada de chapas, maderas, hierros, bloques de cemento— cubrió las tierras yermas ubicadas más allá de la avenida San Martín al 7400. Y en cada una de esas injurias al buen gusto, un patrón.

Hombre avaro del tiempo y del descanso, el patrón.

Vigilaba, el patrón, el rumor insomne de los telares. Los más audaces de esa raza de patrones levantaron muros de piedra, ventanales, enrejados. Colgaron fluorescentes de los techos, y de noche, Villa Lynch era un tambor, iluminado por luces tortuosas y pálidas, que convocaba nadie sabía a quién o a qué.

Hierro, telas, obreros que movían máquinas, urdían telas, anudaban hilos, teñían, y olvidaban qué día fueron jóvenes.

Pago bien.

Los patrones compraban brazos y chalets, y camionetas Ford, y autos Ford, porque Ford fabricaba, además de tanques para lo que se solía llamar el esfuerzo bélico de los aliados, autos y camionetas y camiones que llegaban, también, a Villa Lynch, partido de San Martín, provincia de Buenos Aires, Argentina.

Guerra en Europa. Europa es reincidente. No preocuparse, hombre: nosotros, argentinos.

Venga a hacerme una changa, hombre.

Le pago doble, hombre, pero venga a urdirme esa cadena.

Anudadoras y pasalisas se necesitan. Se paga bien.

¿Cuándo pude comprarle un vestido y un traje a mi mujer? ¿Y a mi hija? ¿Y a mi vieja? ¿Cuándo nadie pudo comprarse una bicicleta o salir de veraneo? ¿Cuándo pudiste pagar, tranquilo, una hipoteca, y mudarte a una casa con todos los chiches?... Una de esas casas en la que podés coger tranquilo con tu mujer, sin andar con miedo de que los chicos escuchen... ¿Cuándo, eh, tus hijos pudieron ir a la Universidad?... Qué tiempos, eh, los de la guerra...

Adolfo, en esos primeros días de 1945, era un tipo joven, fuerte, buen urdidor —eso lo reconocían, en Villa Lynch, hasta los patrones celosos del elogio—, y tejedor, y mecánico, no gran cosa como mecánico, pero que se daba maña, sí, se daba maña.

Le gustaban las mujeres a Adolfo. Mujeriego, no. Le gustaban las mujeres: ¿se entiende? Le gustaban esas mujeres que perdieron o desaprovecharon la oportunidad de casarse. Soñadoras impenitentes, esas mujeres.

Se abrían de piernas esas mujeres, al patrón, al contador de la fábrica, a Adolfo. Y Adolfo pagaba una pieza del *Roma*, y se volcaba, inagotable, sobre la que fuere, joven o no tanto.

Adolfo frecuentaba los clubes judíos. Bailaba, vaciaba botellas de cerveza, murmuraba efusivas obscenidades en el oído de las chicas que compartían con él un trago, o un vals, y las chicas se ruborizaban y sonreían, también.

En uno de esos clubes, donde el idisch todavía sonaba alborozado y profuso, conoció a Rosa. Un fulgor amarillento saltó a los ojos de Adolfo cuando los pechos de Rosa le rozaron la camisa de seda.

¿Qué le pasaba con Rosa? ¿Con las tetas, los muslos, la boca de Rosa?

Los soviéticos, anunciaron las radios, habían reconquistado Velikie-Luki, un círculo de piedras humeantes en un mapa de nieve. Los norteamericanos bombardearon la isla de Guam. La SS gaseaba, en Auschwitz, a rusos, polacos, gitanos, judíos, comunistas y homosexuales, pero a Adolfo le costaba dormirse.

Los soviéticos clavaron la bandera roja en la torre más alta del Reichstag alemán.

Adolfo recibió un aumento de cien pesos en su salario mensual.

Rosa dijo:

—Casémonos.

Adolfo dijo:

—No puedo más, Rosa... Me estoy volviendo loco, Rosa.

Habían bailado hasta las tres de la mañana de un domingo de invierno en el club judío de San Martín. Adolfo desfallecía; Rosa, también.

—Yo tampoco puedo más, Adolfo, pero casémonos.

—Rosa, Rosa... —murmuró Adolfo, y su boca con olor a cerveza, a tabaco rubio, a sed, se paseó por el cuello de Rosa, y Rosa tiritó.

—Adolfo, no... No, no, Adolfo... Allí, no...

Y Rosa, que desfallecía, buscó apartar la mano de Adolfo de su entrepierna.

Y Rosa, que desfallecía, susurró en la boca de Adolfo:

—Por el culo, Adolfo.

—Un hombre como vos, Adolfo —dijo Wolf—, necesita una mujer, buena y honrada, que te ayude a progresar... Pensá en lo que te digo: las mujeres ven cosas que nosotros no vemos. En el escritorio de Wolf, atiborrado de piezas de seda; en la luz de los fluorescentes; en el retumbar de los telares, que llegaba, apagado, hasta el escritorio de Wolf, Adolfo escuchó:

—¿Qué te parece algo así como un galpón, cuatro telares, trabajo asegurado?

Wolf Lander estaba ahí, quieto, el cuerpo macizo encerrado en un traje de corte barato, sentado al otro lado del escritorio, y era el patrón de Adolfo, y era, para Adolfo, imprevisible. Como Dios.

—Mañana, Adolfo, arreglamos los detalles... Saludos a tu mujer.

¿Qué era Bialistock? Una ciudad de, tal vez, medio millón de habitantes, en el noreste de la Polonia de los coroneles. Y en su gueto judío, nació Wolf.

Tufo a leche agria y a arenque ahumado y a la queja de las oraciones sabáticas, en Bialistock. Olor a miedo y a resignación en el gueto judío de Bialistock.

No había pan en la casa de Wolf, sino las piadosas lágrimas de la madre. No había alegría en la casa, sino el fatigoso recitado de las tablas de Moisés. No había fuego en el horno, sino el frío de los sábados.

Cuando Wolf conoció a su maestro, el maestro lo miró, armó, despacio, un cigarro, y dijo:

—Serás un buen tejedor. O serás un rufián.

Wolf nunca contó las horas que le faltaban para el futuro. Entraba, todas las mañanas, al dormitorio del maestro —la mujer del maestro dormía, aún— y atraía hacia sí la escupidera, cuyo enlozado destellaba debajo de la cama matrimonial, y volcaba los orines en el pozo ciego, lavaba la escupidera, y la devolvía, limpia, a la oscuridad de la que él la había sacado.

La mujer del maestro ronroneaba algunas palabras, y Wolf, algunas mañanas, dijo *no*. Sólo algunas mañanas. Porque aun allí, debajo de las sábanas, y de las frazadas, y del cobertor, la mujer gorda y ronroneante era la mujer del patrón. Y la mujer gorda y ronroneante, que era la mujer del patrón, satisfizo a Wolf, el aprendiz.

A Wolf le sobró coraje como para bajar de Bialistock a un país que llamaban Argentina.

Y Wolf, en Buenos Aires, aprendió lo suficiente el idioma de los argentinos como para leer libros de mecánica y dibujo textil, y, además, se casó.

Pero si algo aprendió Wolf, de una vez y para siempre, fue que la palabra no es inocente. Wolf callaba, y su mujer, aterrada y en silencio, se decía que ese hombre, que le daba la espalda, sentado en la cama, tampoco conocía el cansancio.

Una noche, Wolf dijo:

—Voy a comprar dos telares suizos.

Wolf compró los dos telares suizos, los instaló, y trabajaron, los telares y los tejedores, tres turnos diarios, y él, el inmigrante judío, estudió y estudió, y patentó un modelo de telar similar al suizo.

1939 fue el nombre del destino para Wolf. Y no sólo para Wolf, aquí, en el país del asado, de los solitarios que se suicidan vencidos por la nada, de los turros, y de los estancieros cuyo primer idioma fue el francés.

Wolf era dueño de ocho telares y un auto, y una hija, y una mujer que cumplía sus deberes en la cama, y fuera de ella, apagada y triste, y que regateaba con los albañiles, y el fiambrero preferido de Wolf, que le reservaba, a Wolf, el mejor *pastrom* y el mejor *guefilte fish* que podían comerse en Buenos Aires y sus arrabales.

Telares para telas: es un axioma, no una abstracción talmúdica, se dijo Wolf. Y no se dijo más.

Y Wolf montó una planta de fabricación de telares en Villa Lynch. En 1945, la fábrica de telares no alcanzaba a cubrir la demanda, pero Wolf no la ensanchó. Porque de todos los oficios que Wolf aprendió, hubo uno que aprendió con la carne: el de limpiar escupideras que desbordaban los estragos que despedían los cuerpos vencidos de su maestro y de la mujer del maestro. Entonces, las banderas de los países vencedores de la Alemania nazi y de la Italia fascista ondeaban en el piso que Wolf habitaba en San Martín. Wolf había depositado centenares de miles de dólares en bancos montevideanos. Y en bancos de Nueva York. Y aun, en bancos de Suiza. Y lo que la carne de Wolf conoció de los otros, y de sí, lo volvió previsor y avaro con las palabras.

Wolf importó un lavarropas de los Estados Unidos: su esposa, presa de un temor religioso, se negó a usarlo, y Wolf depositó, en él, los libros que su hija le regalaba, y que Wolf no leía.

Wolf ayudaba a obreros con veinte, veinticinco años de oficio a *independizarse*. Los obreros con veinte, veinticinco años de oficio le compraban, a crédito, dos, cuatro telares, y trabajaban dieciséis horas diarias para pagarlos.

A veces, Wolf citaba, para un sábado a la tarde, a una pinzadora o a una devanadora, y hacía con ella lo que los maestros del gueto judío de Bialistock hacían con las aprendizas cristianas. Wolf hacía lo que se debe hacer un sábado a la tarde, y lo hacía con eficiencia, rapidez, y fría brutalidad. Y en silencio.

A veces, también, Wolf se preguntaba si habría, todavía, para él, dientes apretados, tensión y lucha.

Wolf, previsor, guardó su overol en el estante más alto de un ropero, atrás, al fondo, donde nadie pudiese encontrarlo. El overol estaba intacto, gastado pero intacto, y, entonces, Wolf no le temía a nada.

—Qué tipo, Wolf —murmuró Adolfo en el oído de Rosa, y Adolfo estiró una mano hacia la entrepierna de Rosa.

—Ah, sí... bueno... —dijo Rosa—. Hace calor, Adolfo... Quítame esa frazada de encima.

Sí, hacía calor, pero en el vaho que recorría la cabeza de Adolfo se instaló un deseo: *si la guerra dura un año más...*

Rosa le apretó la verga a Adolfo, y se la apretó con fuerza y crueldad.

—Adolfo, escuchame... Escuchame ahora a mí.

—Rosa, pará. Por favor, Rosa... Pará... Pará...

—Quiero un hijo, Adolfo... ¿Me escuchaste? Decí que me escuchaste.

—Sí, sí, Rosa... Rosaaa...

La mano de Rosa, cerrada sobre la verga de Adolfo, giró. El tirón de la mano de Rosa, cerrada sobre la verga de Adolfo, fue salvaje. Y fue impiadoso. Y la cara de pájaro cansado y soñoliento de Rosa estuvo sobre el jadeo de Adolfo, en la oscuridad de la pieza y de la cama que olían a sudores agrios, y leches derramadas.

Adolfo, los ojos cerrados, gangoseó:

—Esperemos un año, Rosa... Tengo que pagar los telares, Rosa... Rosa...

—Esto quiero —musitó Rosa, la mano cerrada sobre la verga erecta de Adolfo.

Turno

Federico Hanson sabía que había estado allí, antes, y que había hecho lo que la mujer le ordenó que hiciera.

¿Cuántas veces, antes, hizo lo que la mujer le ordenó que hiciera?

Las nalgas blancas, pesadas, de Lotte, se movían, lentas, sobra la cara del hombre.

Las nalgas blancas, pesadas, de Lotte, rozaban la boca del hombre. Rozaban su nariz, sus pómulos, la frente pálida, los labios y las súplicas que resbalaban de los labios agrietados del hombre.

El hombre, desnudo, que tenía las manos atadas a los barrotes de la cabecera de la cama, aspiraba, como si se ahogase, los olores que se desprendían de las nalgas blancas, pesadas, de Lotte, del culo y del sexo de Lotte. Las piernas del hombre, sacudidas por un espasmo incesante, intentaban zafar de otras manos que las pegaban, por los tobillos, al colchón en el que estaba tendido.

Federico Hanson sabía que había estado allí antes, y que había sujetado, antes, los tobillos del hombre desnudo, y tendido sobre el colchón de la cama.

La mujer de nalgas blancas y pesadas convocaba a Federico Hanson a los gritos. Y los gritos de la mujer eran agudos e irresistibles. Entonces, él, Federico Hanson, salía de su pieza, y bajaba unos pocos escalones, y entraba a otra pieza, y la luz de la pieza a la que entraba era de un color rosado, como si esa luz estuviera a punto de esfumarse. Y un hombre, que Lotte le dijo que se llamaba Roberto Bertini, y que, además, era su marido, tenía las manos atadas a los barrotes de la cabecera de la cama. El hombre estaba desnudo. Y Lotte, también.

La cara de Lotte, crispada, le decía a Federico Hanson, como si Federico Hanson no supiera lo que ella iba a decir:

Agarralo de los tobillos.

No te quiero con panza, le digo a Roberto. Y me le siento encima, y le doy en la panza, así y así... ¿Viste cómo le doy?

Por amor a mí, Roberto dejó el Ejército. Por amor a mí. Amor. Y eso no lo hace cualquiera. Estaba a punto de que lo ascendieran a coronel. Muy considerado, Roberto, en el Ejército. Él solo mató a una docena de chilenos que se quisieron meter por la frontera, en el Sur. Muy corajudo, Roberto, así como lo ves. Muy patriota. Callado, pero patriota.

Le dieron licencia, y se vino a Buenos Aires, y nos conocimos. Todas las mañanas me mandaba un ramo de flores. Y me invitaba a tomar el té al Hotel Alvear, a La Ideal... ¿Te das cuenta cómo era Roberto?

Después, fue la locura.

Se sentó, Roberto, donde vos estás sentado, y me dijo, *Lotte, la amo. Haga de mí lo que quiera, Lotte.*

Entró a esta casa, él, a quien casi ascienden a general, y no volvió a salir. *Lotte, soy suyo para siempre*, me dijo.

Y mirá: la familia de Roberto es dueña de miles de hectáreas de tierra en el Sur. ¿Y qué creés que recibe él de esas miles de hectáreas de tierra? Decime, andá.

Sí, es verdad: lo tengo que mantener. Y Roberto lo sabe: *Si no fuera por usted, Lotte...* Y, a veces, llora. Se emociona, como se emocionan los militares, y llora.

Y los militares como Roberto, que se emocionan, y que comen el rancho de los soldados, y se levantan a las cinco de la mañana, y no bajan del caballo hasta las seis o siete de la tarde, echan panza.

Roberto no sale a la calle. Camina de una pieza a otra, y echa panza.

Traga como un descosido. Y echa panza.

No hace gimnasia. Y, encima, duerme la siesta.

Fuma, e igual echa panza... ¿Vos fumás? ¿No? Te enseñaron bien en tu casa: la salud es lo primero.

Por eso, me le siento encima, y pum y pum y pum en la panza.

Se queda sin aire, Roberto, vos lo viste.

Y le doy, y le doy, y vos lo escuchaste, *no siga, no siga, Lotte. Me mata, Lotte. Me mata. Lotte... La beso, Lotte... Por favor, Lotte.*

Federico Hanson nació en Cachil.

¿Quince, veinte, treinta casas? Cachil.

Una sola calle empedrada. La iglesia, pequeña, simple, fea. La obvia comisaría. Cachil.

Huesos y cráneos semienterrados en las cercanías de Cachil, para abonar las conjeturas de antropólogos maníacos y adustos.

Federico Hanson se fue de Cachil tan temprano como pudo. Hubo bendición paterna, y mansa envidia paterna en el abrazo y la mirada del hombre que se quedaba en Cachil.

Hubo un largo viaje en tren rumbo a Buenos Aires. Federico Hanson nunca pudo recordar el color de las mañanas en el vagón caldeado por carnes que se desperezaban.

La mujer que le abrió una puerta de madera, gruesa y angosta, dijo que se llamaba Lotte.

La mujer que dijo que se llamaba Lotte le preguntó cómo fue el viaje.

Lotte caminaba descalza por la casa de techos altos, por las alfombras, gastadas, que cubrían los pisos de la casa de techos altos.

Los pies de Lotte eran pequeños, pero sus uñas estaban pintadas de rojo.

Nací cerca del Don. Cerca del mar de Azov. Alemanes por generaciones y generaciones. Vivíamos bien, no te lo niego. Y hablábamos alemán.

Había respeto: los rusos se quitaban las gorras, y saludaban a papá. Y eso que el Zar le declaró la guerra al Káiser. Hasta que llegaron los bolcheviques: Budionny llegó. Simeón Budionny. Alto, Simeón Budionny. Y los ojos. Y unos dientes... Veían todo esos ojos. Y Budionny mataba. Jefe de la caballería roja, Budionny.

Que los pobres no teman al poder soviético. Que los ricos se vayan al infierno, gritaba Simeón Budionny desde los altos de la iglesia. Y después bajaba de los altos de la iglesia, y mostraba los dientes en una gran risa blanca, y te miraba con esos ojos, y vos sentías que, si te ibas con él a la cama, recibirías la bendición de Dios.

Mi hermana se enredó con uno de los comandantes rojos de Budionny. Chiquito como era el comandante rojo de Budionny, tenía una voz de barítono. Y le prometió a mi hermana, el comandante rojo de Budionny, que las noches que se acostaran juntos, que fueran uno del otro, él le cantaría las canciones más melancólicas que ella hubiese escuchado nunca.

A papá y a mamá, los rojos los fusilaron. Acusaron, los rojos, a papá y a mamá, de blancos y contrarrevolucionarios. Yo escapé a Berlín: papá repartió su fortuna entre mi hermana y yo, antes de que los rojos los fusilaran.

Federico Hanson miró la espalda de Lotte, y Federico Hanson, sus manos engarfiadas en los tobillos del hombre con las manos atadas a los barrotes de la cabecera de la cama, adivinó cómo caían las tetas de Lotte sobre la boca ávida del tipo que, quizá, musitaba, *te lo beso, Lotte. Por favor, Lotte.*

—Piedad, decí —dijo Lotte con rabia, con crueldad, con fatiga, de espaldas a Federico Hanson.

Federico Hanson tuvo sed. Y buscó, con los ojos, las manos sujetando los tobillos del hombre que, tal vez, musitaba, *sí, Lotte, más*, una botella o una jarra que tuviera agua.

Con apenas diez o doce días en Buenos Aires, me compré esta casa: yo hablo el francés como si fuera francesa de París, y alemán como alemana de Prusia.

Yo, fijate, nací cerca del Don, y papá, en los días de primavera, me llevaba a que viese el color de las aguas del río. Y papá me decía que sólo el Volga era más largo que el Don. Y me decía, papá, que algún día Alemania civilizaría la estepa rusa.

Pero aquí me tenés, yo que hablo francés y alemán: cuido de que Roberto, que casi fue general, y que mató, en el Sur, una docena de bolcheviques, no se pegue un tiro... Mucho gasto.

Eso te explica por qué te tuve que alquilar una de las piezas de esta casa... Sos un chico lindo, vos... ¿Sabés que sos un chico lindo?... ¿Y de dónde me dijiste que sos?

La mujer dio un giro sobre la cara del hombre con las manos atadas a los barrotes de la cabecera de la cama, y enfrentó a Federico Hanson, y, fatigada y rencorosa, empuñó la verga del hombre desnudo, y la espalda del hombre desnudo se arqueó.

Lotte, la boca entreabierta, sentada sobre la panza del hombre desnudo, le apretó la verga con sus dedos gordos y largos, y el gemido del hombre desnudo llegó, apagado, como de muy lejos.

Lotte sudaba. Un agua ácida y brillante corría por sus hombros, por su cuello, por los pliegues de carne que rodeaban su cintura.

Lotte, sentada sobre la panza del hombre cuyas manos estaban atadas a los barrotes de la cabecera de la cama, miró a Federico Hanson, y vio lo que se propuso ver. Y dijo:

—Ahora te toca a vos.

Puntual y fulgurante

—Doce años preso, Amalia —dijo Johnny.

Amalia dijo que sí, que doce años era mucho tiempo.

Y dijo que ella lo visitó en la cárcel dos o tres veces por año, durante los doce años que él estuvo preso. ¿Se acordaba Johnny de esas visitas?

—Sí que me acuerdo... Y me acuerdo de que los guardias me decían *cómo te trata la señora*. Y decían *qué lomo la señora*... Y vos me trajiste una tricota de lana. Una radio me trajiste. Y chocolate.

Amalia dijo que ella era la hermana de la madre de Johnny, y que lo vio nacer, y que la madre de Johnny murió cuando Johnny todavía berreaba.

—Yo era una pendeja —dijo Amalia—, la menor de mis cinco hermanas... A la vieja de nosotras la fulminó un cáncer de páncreas, y tu mamá se hizo cargo de la casa... Todas putarracas, mis hermanas, y yo estaba para limpiar las piezas, preparar la comida, y lavar las sábanas... Crecí, yo.

Johnny miró la opacidad lechosa de la niebla sobre los cerros cordilleranos y la superficie quieta, oscura de ese lago sureño, y no se permitió la pregunta que lo transportaría —fugazmente, tal vez— a la evocación y a la añoranza de su niñez.

Y Johnny, además, imaginó la respuesta de Amalia a la pregunta que no llevó a sus labios, breve la pregunta en la cocina de su vientre.

Amalia había estacionado su coche en la banquina de una ruta patagónica, en una ancha curva, allí donde terminaban ciento cincuenta metros de guardarail. Amalia encendió la calefacción, las luces traseras y delanteras del auto.

—¿Estás bien? —preguntó Amalia en la tibieza del coche.

—Sí, estoy bien —dijo Johnny, en la tibieza del coche, y le pidió un cigarrillo a Amalia.

—¿Arrepentido? —preguntó Amalia, en la tibieza del coche.

—¿De qué? —preguntó Johnny, y miró pasar, veloces, autos y camiones rumbo a El Bolsón o a Bariloche.

—De haber matado a Corvalán —dijo Amalia, y no miró a Johnny, y la alta, escarpada masa de un cerro, al otro lado de la ruta.

—Si yo lo hice, y lo hice, vos lo sabés, yo estaba para eso— dijo Johnny.

Amalia abrió la puerta del coche, inclinó el respaldo de su asiento, y pasó el asiento de atrás. Cerró la puerta de su lado, y enderezó el asiento del conductor.

—¿Y ahora? —preguntó Amalia, en la oscuridad y la tibieza del coche.

—Aprendí —murmuró Johnny, sin doblar la cabeza, los ojos en las luces de los camiones, los coches, las motocicletas que aparecían y desaparecían en las curvas de la ruta.

—Sí— dijo Amalia en el asiento de atrás, y las manos de Amalia repozaron, blandas, en algún lugar de su cuerpo.

—Aprendí, se lo que sea que yo haga, a no salir en una foto— murmuró Johnny, y dobló la cabeza, y vio la cara de Amalia, borrosa, frente a la suya, y quiso percibir el susurro de las aguas de un lago sureño, un poco más allá de la ancha banquina—. Mucho aprendí, ahí adentro... O sos muy macho, o te cogen ahí adentro.

Johnny salió del coche, y el frío del Sur le golpeó los ojos y la boca.

La niebla comenzaba a disiparse: manchones de nieve en los picos y las laderas de los cerros, y huellas de antiguos fuegos y jirones de nubes blanquecinas en las laderas y los picos de los cerros.

Johnny volvió a entrar en el auto por la puerta trasera. Amalia le quitó los borceguíes, los jeans, el slip, y una gruesa tricota de lana.

Amalia se irguió sobre Johnny, acostado en el asiento trasero del auto. Había destellos de luz en las ventanillas del coche que daban a la ruta.

El acople fue preciso y fulgurante. A Johnny se le abrieron los dedos de los pies.

Y Johnny, con la crispación del encuentro que se le extinguía lentamente en el cuerpo y aun devastado, preguntó:

—¿A quién querés que mate?

Cría de asesinos

Daiana se tiñó el pelo de rojo furioso.

Daiana, que se tiñó el pelo de rojo furioso, es la que piensa. Piensa por ella y por Lucas. Y cuando ella dice lo que pensó, Lucas la mira, sin asombro la cara pequeña y fría de Lucas, pero con la boca entreabierta. A veces, a Lucas se le escapa un fino hilo de saliva de la boca entreabierta.

Cuando Daiana le habla a Lucas, Daiana susurra. Y la cabeza de Lucas se ilumina. Y no hay más que esa luz dentro de la cabeza de Lucas. Esa luz no lo lastima. Entonces, Lucas deja de mirar a Daiana.

Daiana piensa por Lucas. Y Lucas, entonces, olvida.

Daiana piensa por los dos. Y Daiana susurra, una vez más, cuando Lucas olvida uno de sus pedidos. Y Daiana, cuando Lucas olvida uno de sus pedidos, le pellizca los muslos.

Daiana, una sonrisa en los ojos, susurra y le pellizca los muslos a Lucas.

Lucas no sabe qué es pensar.

Daiana piensa por los dos. El intento de pensar enferma a Lucas.

Daiana, a quien se le notan los anchos pezones bajo la remera negra, gastada la remera negra, y ajustada por un cinturón de cuero grueso, cerrado sobre la cintura del jean, dice que se miró en el espejo, y que no le gusta que su pelo esté teñido de rojo furioso. Y dice que se lo volverá a teñir de negro. De negro brillante, dice.

Lucas la escucha. A Lucas siempre le gustó el pelo negro, brillante, de Daiana. Y una tarde, el negro brillante había desaparecido, y Daiana tenía el pelo manchado de rojo furioso, más rojo furioso en la frente que en la nuca. Manchones de rojo furioso en el pelo teñido de Daiana. Aquí y allá, los manchones.

Lucas no pensó en el negro brillante que le gustaba. Lucas le dijo a Daiana que el rojo furioso le quedaba lindo.

—Te queda lindo, me parece, dijo Lucas. Y dijo que no tenía un puto centavo en los bolsillos. Y que qué se podía hacer, preguntó Lucas, la boca entreabierta en la cara pequeña y fría.

Daiana miró a Lucas. Estaba sentado frente a ella, en la cocina de la casa que el padre de Daiana y Lucas, cabo de policía, compró cuando lo jubilaron por *abuso de arma*.

La casa era vieja. La casa era húmeda. La casa se agrietaba. El padre de Lucas y Daiana compró dos o tres faroles sol de noche: le habían cortado la luz eléctrica por falta de pago. Un año, un año y medio sin pagar las facturas de la luz que el cartero solía traer cada sesenta días.

Los faroles sol de noche despedían una luz tibia y circular y, tocado por esa luz, Lucas dijo que no tenía un puto centavo para comprar una lata de cerveza, una botella de cerveza, grande, panzona, de un litro, y fría. Y un porro.

—Esperá ahí, dijo Daiana. Y Lucas supo que debía esperar a que Daiana le dijera que podía moverse, que no esperara más, que fuera donde ella le dijo que fuese.

Lucas no pensó por qué Daiana había desaparecido del círculo de luz tibia y, antes de desaparecer del círculo de luz tibia, le había dicho que esperara ahí.

Y Lucas la esperaba, sentado ahí, las piernas cruzadas, la cabeza gacha, la campera de colores chillones sobre su espalda flaca y sus brazos largos.

Daiana le dijo que esperara. Y Lucas esperó, los ojos fijos en sus zapatillas Nike, y en un triángulo breve y opaco que la luz de los faroles dibujaba sobre las Nike.

Daiana volvió y tiró, entre las piernas cruzadas de Lucas, un billete de veinte pesos.

—¿Te alcanza?

La luz de los faroles bajó, también, sobre el papel rojizo de los veinte pesos, y sobre las gomas y los cordones de las Nike, y Lucas dijo que sí, que le alcanzaba, y qué es lo que tenía que hacer.

—¿La querés a la Daiana?— y Daiana, de pie, la sombra de sus tetas sobre la cabeza de Lucas, sonrió a Lucas.

—Sí— musitó Lucas, la cabeza gacha.

—¿Cuánto?

—Ufff... mucho...

—¿Cuánto?— y la cara de Lucas, pequeña y fría, se descompuso, y perdió la tersura de su juventud, y Lucas abrió la boca, y quiso algo que no sabía qué era.

Cuídela a la Daiana, ¿sí?

Jubilado, el papá de Daiana y Lucas. Policía jubilado por *abuso de arma.*

El papá de Daiana y Lucas le preguntó al comisario Galván, *qué carajo es abuso de arma... Dígame, señor...*

—Cálmese, Benavídez... Descanso, Benavídez... Créame que lo entiendo, Benavídez, pero son órdenes de la superioridad... Los tiempos de ahora, Benavídez... No se respeta la ley, Benavídez. Y nosotros, los representantes de la ley, Benavídez, estamos expuestos al insulto de cualquier infeliz que anda suelto por ahí... La televisión, Benavídez...

Pero, ¿cómo iba a suponer Benavídez que esa pendeja de mierda se iba a cruzar entre él, cuerpo a tierra, y los choros que salían del Banco, que corrieron y se parapetaron tras las puertas de un Fiat Duna, y dispararon sus pistolas sobre el espanto de los que se movían por la calle, sin ganas de nada, desocupados, friolentos?

—¿Y quién le dio a la pendeja, señor? ¿Yo? ¿Los choros?

—Usté, Benavídez, usté... Lea lo que escriben los diarios, Benavídez: dicen lo que se les canta las pelotas de la institución... Usté es un buen policía, Benavídez... Voy a tratar de que reciba el ochenta por ciento de la jubilación, Benavídez... Y cualquier cosa que necesite, ya sabe, Benavídez... Buenas tardes, Benavídez...

¿De qué va a trabajar un policía con más de veinte años de servicio? ¿Custodio?

—Entiéndanos, señor Benavídez: los jueces hacen buena letra hoy día, y la empresa no puede correr más riesgos de los que corre... Nos van a cruzar la cara con eso de mano de obra desocupada...

Y Benavídez se quedó en su casa, que era vieja, que era húmeda, que estaba agrietada.

Había un brasero cerca de los pies de Benavídez, calzados con pantuflas, una pava sobre la tapa del brasero, y un mate en las manos de

Benavídez, apenas Benavídez despertaba de sus largas siestas o finalizaban sus inquietas noches de insomne.

Algo tan irreparable como la nostalgia mantenía despierto a Benavídez en la pieza oscura y fría. Una noche y otra. Y otra. Y otra.

Ponga las manos contra la pared, carajo. Abra las piernas... ¿Por qué anda sin documentos?

Benavídez, ojos abiertos en la noche que no tiene fin.

Y la madre de Daiana y Lucas, que le ultrajaba, a Benavídez, con chillidos de loca, los silencios del día, a su lado, en la cama.

Benavídez se crispa, e imagina un instante de exaltación: encorva y encorva los dedos de sus manos alrededor del cogote de la chillona, y la gallina, de a poco, deja de cacarear.

¿Cómo te llamás, putita?... Ajá... Diga Roxana Soria, señor...

No más eso, Benavídez.

Benavídez pasa las noches de desvelo con su mano derecha acariciando la culata de la 38, calentándose fierro y mano debajo de la almohada que huele a sudor.

Frío, Benavídez. Frío. Mate frío. Brasero que se apaga. Pies que se enfrían. Invierno que no termina. Cielo de mierda.

—Venga, pichona, a calentarle los huesos a su padre.

Daiana se paró frente a su padre, la cabeza de su padre sostenida por una mano y el brazo de esa mano doblado en ángulo sobre la almohada, la barba crecida en la cara del padre, y el olor a vino en la boca del padre, y pelo canoso en el pecho del padre, mugrienta la camiseta, desabrochada la mugrienta camiseta sobre los pelos canosos del pecho.

—Necesito comprar unos útiles para la escuela, papi —dijo Daiana, que miraba a su padre, tapado hasta la cintura con una frazada que se trajo del precinto.

—Pídale a su madre, pichona —dijo Benavídez en la penumbra de la pieza húmeda y fría.

—La mami me dijo que le pidiera a usté —y Daiana no sonrió a su padre. Ya no necesitaba sonreírle a su padre. Ya no le tenía miedo a las furias de su padre, ni al rebenque de su padre.

Lucas, en una tarde como esa, sin levantar la mirada del piso, de sus zapatillas Nike, del mundo de arbustos y desolación que él atisbaba, y no reconocía, a la altura de las Nike, murmuró:

—No la toque a la Daiana.

Algo se deslizaba en la voz monótona de Lucas: un tono, un sonido que Benavídez nunca había escuchado en las orfandades de la lengua de Lucas. Benavídez saltó hacia la almohada de su cama, y empuñó la 38, y giró, agazapado, hacia Lucas.

Lucas miraba sus Nike, el universo amarillo y silencioso que se extendía entre las Nike.

Benavídez soltó dos o tres blasfemias, crueles e ingeniosas, cordobesas las blasfemias.

Lucas se levantó, miró a su padre, y Benavídez, con más de veinte años de servicio en la policía, no encontró nada en los ojos de su hijo. Ni vacío ni indiferencia, ni los mudos estupores que provoca el descubrimiento de un olvido.

(Benavídez agradeció, siempre, vestir el uniforme policial. Benavídez encontró, en los centenares y centenares de ojos que desfilaron frente a él, algunos en los que se prendían los temblores del terror y la sumisión. Benavídez agradecía, reverente, a quien fuese, el orgasmo que la penuria ajena le concedía.)

Estaba limpiando el arma, señor, y no sé cómo se disparó el tiro.

Benavídez levantó el 38. Lucas saltó no importa para dónde, pero Benavídez sintió el filo de la navaja de Lucas sobre la piel de la yugular.

¿Helado el filo de la navaja? ¿Más fino el filo de la navaja que uno de esos hilos que Benavídez usaba para la pesca en algún río serrano? ¿Debajo de la oreja derecha o la oreja izquierda el filo de la navaja? ¿Dos navajas el hijoputa?

No había nada en los ojos de Lucas, y Benavídez, que vio ojos de todos los colores, de hembras y de machos, de chicos asustados y de idiotas, de moribundos e impotentes, se aflojó.

—Está bueno —dijo Benavídez.

—¿Y usté qué me da si le caliento los huesos? —preguntó Daiana, parada frente a Benavídez, remera negra sobre los pechos que crecían, pulposos, y jean sobre las largas piernas, y ojotas con hebillas de metal calzadas sobre los pies limpios de juanetes y callos, y dedos largos y rectos en los pies.

—Tome: tráigame una botella de vino —dijo Benavídez sin mirar a Daiana.

Daiana recogió el arrugado billete que Benavídez extrajo de un bolsillo de su pantalón, y se preguntó, mirándolo, qué podía comprarse con ese papel blanquecino. No mucho, se dijo. Ni siquiera una carne para que Lucas se la asara sobre unos ladrillos rajados y ennegrecidos por el fuego, allá, en el fondo de la casa, donde se amontonaban latas vacías de Coca-Cola y de cerveza. Servía para eso el Lucas, pensó Daiana: prender fuego y asar carne para que ella la comiera. ¿Dónde aprendió, el Lucas, a prender fuego y asar carne? En Córdoba, sí: en Córdoba se aprende a encender fuego y asar carne. Y no mucho más, que Daiana supiera.

Y Daiana dejó de preguntarse, parada frente a Benavídez, frente a la cama de Benavídez, que olía a sudor y a pucho, con Benavídez tendido en la cama que olía a sudor y pucho, por qué no supo siempre que el Lucas era bueno para algo.

Con el billete blanquecino en las manos, alisado el billete, Daiana se dijo que necesitaba plata, y mucha, y que el Lucas le clavara su navaja, y bien hondo, a Arturo Reedson.

Levantaron solo unos pocos pesos en el asalto a la pizzería. Cara'i guante les dijo que, como a las nueve de la noche, o diez u once de la noche no queda un solo cliente en la pizzería. Las imprecisiones de Cara'i guante eran incesantes y, también, resabiadas. E instalaban, en Daiana, los extravíos de la histeria. Pero Cara'i guante poseía un coraje y una impavidez frente al peligro que Daiana no encontró en ningún otro tipo, incluido Lucas, hasta donde ella podía recordar. Y Cara'i guante dijo, titubeante, como si recitase una lección aprendida de memoria, que a las nueve o diez u once de la noche quedaban, en la pizzería, el patrón de la pizzería, la mujer del patrón de la pizzería, y la hija de los patrones. Y un pendejo, dijo Cara'i guante, que atiende el horno...

—La hija del patrón de la pizzería —dijo Cara'i guante— está buena.

Daiana pasó por la vereda de la pizzería, de día y de noche. Dos tardes y tres noches, a distintas horas. A paso lento.

Daiana les dijo, a Cara'i guante y a Lucas, que ella se encargaría de que Benavídez le cediese, por unas horas, la 38.

—No me pregunten cómo, pero la 38 viene conmigo.

—Lucas y Cara'i guante llevarían sus navajas. Poco después de las once de la noche, el patrón de la pizzería cerraba el local. Ellos no le darían tiempo para que lo cerrase...

—¿La tienen clara?

Daiana y Cara'i guante irían hasta la pizzería en la motocicleta de Cara'i guante. Lucas, a pie. Lucas saldría para la pizzería quince minutos antes que ellos. Hay como veinte cuadras hasta la pizzería, dijo Daiana. Las conté, dijo Daiana. Lucas sale de aquí once menos veinte; vos, Cara'i guante, y yo, once menos diez.

La tenían clara: Cara'i guante sabía que Daiana valía por diez machos juntos. Lo ayudó a zafar de dos entreveros perversos, y no pidió nada a cambio.

Y Lucas, oídos cerrados: Daiana pensaba por él, y si Daiana pensaba por él..., todo bien.

Daiana y Cara'i guante bajaron de la motocicleta a las once de la noche. Lucas los esperaba, frente a la pizzería, en la oscuridad de un zaguán.

Daiana empuñó la 38, y los tres entraron al local. Cara'i guante y Lucas largaron los gritos que se escuchan en las series de televisión:

—Esto es un asalto... No nos miren... La plata, rápido.

Cara'i guante saltó limpiamente por encima del mostrador, y estuvo sobre la caja en menos de un segundo. El pizzero abrió los brazos, y una bala de la 38 le dio en la frente. Cara'i guante, que temblaba, manoteó los billetes que creyó había en la caja, y una 32 que brillaba, nueva, bajo la luz de los fluorescentes.

Hubo un quejido. Hubo un desmayo. Hubo temblores y súplicas.

Daiana dio vuelta la cabeza, y miró hacia la calle. Después, miró la 38: un tenue hilo de humo salía por la boca del corto caño de la 38. Después miró a Lucas y a Cara'i guante. Ellos, a su vez, la contemplaban con la desventura y la sumisión de los creyentes.

—Cogétela —Daiana señaló a la hija de los dueños de la pizzería. Y la palabra de Daiana, un susurro en el aire tibio de la pizzería —Daiana nunca le gritó a Lucas, en la corta vida de Lucas— estremeció a Lucas. Y Lucas pareció emerger, estremeciéndose, de una ausencia: de allí, del local repentinamente silencioso de la pizzería, o de donde fuese que informes abyecciones lo sumieran.

Pero Lucas emergió de su ausencia, y supo que estaba en un local que olía a vino y carne de empanadas, de pie bajo la luz de los fluorescentes, con una navaja en la mano derecha, y la boca entreabierta.

Lucas caminó, despacio, como encorvado, hacia la hija de los dueños de la pizzería. La muchacha tendría, quizá, diecisiete años, y unos pechos resueltos, y un vientre plano bajo el vestido, no gran cosa el vestido, pero que dejaba ver la carne dorada de los muslos.

La chica, sometida al hurgueteo tenso y despavorido de Lucas, no dejó de mirar el techo del local hasta que el empleado de su padre la tomó del brazo, y la levantó, suavemente, del piso.

Se fueron de la pizzería, Daiana, Cara'i guante y Lucas, con un botín de ciento ochenta pesos, dos docenas de empanadas y una bolsa que rebosaba latas de cerveza.

Cara'i guante y Lucas lanzaron gritos de placer en la noche. Salvajes y largos los gritos. Verdaderos, los gritos.

Daiana miró saltar y contorsionarse a Cara'i guante y a Lucas, y los odió como nunca antes.

No sirven pa' mierda, pensó Daiana.

¿Soñaba el condenado a muerte?

¿Soñaba, por azar, con su padre?

¿Soñaba con una ciudad que, todavía, se llama Cantón?

¿Soñaba, todavía, con una ciudad que se llama Florencia?

Porteño como era, ¿soñaba con París?

¿Soñaba con el hermano menor de su madre, tipógrafo él, que, con una sonrisa tímida, puso bajo sus ojos *Los siete locos* y *Los lanzallamas*?

¿Soñaba el hombre viejo con esas remotas, oscuras, pobres felicidades que, tal vez, le ocurrieron, y tal vez no?

¿Cuánto importaba si le ocurrieron o no, mientras navegaran, pálidas, por su recuerdo?

Al hombre viejo le gustaba el olor de la lluvia. A veces, el olor de la lluvia llegaba a su sueño fatigado, a sus huesos que exigían reposo, y lo despertaba.

El hombre viejo, aun en invierno, dejaba entreabierta la ventana, y cuando llovía, el olor de la lluvia le instalaba, en el cuerpo, una alegría secreta, incompartible.

El hombre viejo bajaba de la cama, abría la persiana y encendía un cigarrillo.

El hombre viejo, en verdad, prendía la luz del velador, se levantaba de la cama, abrochaba el sacón marinero sobre su pecho desnudo, y abría las hojas de la ventana.

Brusco el ramalazo de frío, viento y lluvia en la cara del hombre viejo. Y noche, calle, silencio.

El hombre viejo, entonces, encendía un cigarrillo. Rubio el tabaco. Y *light*.

La esposa del hombre viejo se comunica con el hombre viejo por medio de breves notas en papeles breves, que deposita sobre la larga mesa blanca de la cocina.

Te oigo toser.

¿No sería bueno que te hicieras ver en Medicina Ambulatoria del Privado, como "particular" si no tenés el carnet de Prensa inscripto?

Arturo Reedson nunca terminará de definir, para sí, qué pretende vencer Natalia Duval.

Pero lee quién es Natalia Duval —o eso es lo que supone en sus mejores momentos— en las breves notas que encuentra, apenas enciende los fluorescentes de la cocina, y su luz se derrama, pálida, sobre la larga mesa blanca de la cocina.

Urgencia en las escasas líneas garabateadas en el papel. Crispado deseo de que lo que se pide, en las escasas líneas garabateadas en el papel, esté cumplido, ya. Sugerentes, también, esas líneas.

Y relegada a una prudente omisión, en los papeles garabateados, la efusividad en una palabra, en dos, en tres, que dijeran subrepticias o suntuosas, canónicas o al voleo, inútiles, *te quiero, no me olvides, beso.*

La televisión, y las gratificaciones que solían depararle, a Arturo Reedson, algunos de sus discursos, atenuaban la crueldad de esas fugaces laceraciones invernales.

Calle vacía. Árboles. Sombras de las copas pobladas de los árboles. Luz peregrina de los focos que aún se alzan allí donde terminan las copas de los árboles. El trepidar de una motocicleta, lejos, muy lejos.

Arturo Reedson contempla la noche y la calle vacía como un hermosísimo dibujo, pero que está fuera de él.

Arturo Reedson tiene el sacón marinero cerrado hasta el cuello. Y fuma.

Arturo Reedson sabe que, a esa hora, desea comer espaguetis. Y que los espaguetis humeen, y huelan a tomate y a orégano. Y que los acompañe un vaso de Borgoña, para mezclar los sabores, y después otro vaso, y después otro.

¿Y asado, a esa hora? No, asado no.

A esa hora, le era imprescindible dormitar quince, veinte minutos. Y despertar, los ojos abiertos a la oscuridad y al silencio, y encender la lámpara que hizo colocar sobre la cabecera de la cama. Calzar, encendida la lámpara, los pies en un par de ojotas negras, y cubrir su pecho con el sacón marinero, y cerrar el sacón marinero hasta el cuello.

Y abrir las hojas de la ventana y, enseguida, la persiana, y respirar el aire helado de la noche.

Arturo Reedson, que mira la noche, ha dejado de pensar en la muerte.

La muerte está allí, al otro lado de la puerta. Arturo Reedson lo sabe. Y le basta con saberlo.

¿Goza, Arturo Reedson, cuando apoya sus brazos en la tapa blanca de la mesa? ¿Cuando vuelca, en un vaso, la medida más generosa de whisky que le permite su aversión a los borrachos?

Arturo Reedson aspira el aire helado de la noche.

Arturo Reedson duerme solo.

¿Qué hay, en los minutos de vida que corren por el interminable desierto del tiempo, que interese a Arturo Reedson?

Arturo Reedson duerme solo.

Arturo Reedson duerme solo, acosado, muy pocas veces, por pesadillas grises y banales. Trenes que se marchan llevándose parte de su equipaje. Valijas.

Los trenes que se marchan, en las infrecuentes pesadillas de Arturo Reedson, se llevan sus valijas. Polvorientas, las valijas. Y Arturo Reedson, que ve alejarse el tren que se lleva algunas de sus polvorientas valijas, siente, en el cuerpo, como un desgarramiento, si tiene que darle un nombre a lo que siente. No hay sangre en la abrupta herida. Es un foso que se abre en el cuerpo, y que no gotea sangre. Sinuosa, la hendidura. No duele.

Arturo Reedson se inclina sobre las valijas que pudo retener. No las abre.

Arturo Reedson despierta.

¿Arturo Reedson se quejó a lo largo de la pesadilla? ¿Habló, dormido, a lo que hubiese en la oscuridad de su pieza? ¿Rebotó, lo que dijo, si lo dijo, contra los vidrios de la ventana que mira a la calle?

¿Qué ve el hombre que fuma, en la calle vacía?

Daiana, Cara'i guante y Lucas se tomaron, hasta la última gota, la cerveza de las latas. La tomaron fría, menos fría, y natural y tibia, pero hasta la última gota.

Gritaron incoherencias. Eructaron.

Comieron, Daiana, Cara'i guante y Lucas, las empanadas que alzaron de la pizzería. Y se golpearon las panzas flacas. Y aflojaron los cinturones de sus jeans. Y volvieron a golpearse las panzas flacas.

Se repartieron, Daiana, Cara'i guante y Lucas, la plata que les dejó el asalto a la pizzería. Cara'i guante alcanzó a murmurar que *cuando te pega una bala de 38... carajo...*

Daiana dijo que vio, en un comercio del centro de la ciudad, unos zapatos de taco aguja. ¿Alguno de ellos le prestaría los pesos que le faltaban para comprar el par de zapatos de taco aguja?

Lucas sabe qué es el miedo.

Sus recuerdos —los de Lucas— son vagos, imprecisos; se confunden unos con otros sus pocos y vagos e imprecisos recuerdos.

Lenguas de mujeres sobre su miembro. Bocas de mujeres que le sonríen, después de la chupada. Bocas de mujeres que no le temen, y que le dicen *poné, primero, la plata ahí*.

Hubo una vez que no pagó. ¿Fue en una tarde o fue en la oscuridad de una noche? ¿Gozó con el terror de la muchacha, o con la boca temblorosa de la muchacha enterrada entre sus piernas?

¿Se recostaba, él, de pie, contra una de esas viejas, descascaradas paredes de la ciudad, el pantalón desabrochado y caído sobre sus tobillos?

¿Brillaban las veredas, mojadas por una intermitente garúa? ¿Había puertas cerradas? ¿Una luz débil, lejos?

Lucas, las piernas abiertas, apoyada la espalda en los ladrillos de una pared, y la muchacha, de rodillas, la boca ahí.

En su corta vida, esa noche volvió a Lucas, y cuando volvía, Lucas suspiraba, pero no podía interrogarse de dónde nacía esa turbación que le aflojaba las tensiones del cuerpo.

Fue una tarde o una noche que un tipo le ató las manos a Lucas, y le ató los pies a Lucas, y lo encerró en el baúl de un auto, y Lucas, que ignoraría qué podía transmitirle la palabra muerte, incluso hasta el lento instante en que se la anunciaron, se asustó.

A Lucas lo asustaba, de chico, el susurro de Daiana; el rebenque de Benavídez que caía sobre sus espaldas flacas, en una pieza oscura y húmeda y fría de la casa de Benavídez; dormirse.

Y lo asustó ese hombre que le ató las manos y los pies, y lo encerró en el baúl de un auto, y Lucas, en el baúl de un auto, inmovilizados brazos y piernas por una larga soga fina, viajó horas y más horas, y se orinó encima, y el pis caliente, incesante, le mojó las piernas por encima de las rodillas.

Lucas no sabía qué es llorar.

El auto se detuvo, y él, Lucas, se encogió en el aire frío de un crepúsculo, o de un amanecer gris. Y el hombre lo sostuvo en el aire frío del crepúsculo o del amanecer, tomándolo del pelo, y arrastrándolo, atado, una mano del hombre cerrada en el pelo de Lucas, hasta un árbol.

Había árboles, muchos. Había olores, muchos, había humedad, mucha.

Lucas deseó gritar, y deseó gritar como no deseó ninguna otra cosa que la vida pudo ofrecerle, o que él pudiera arrancarle a su imprevisible brevedad.

Lucas deseó orinar, con un deseo tan imperioso como nunca había conocido antes, ni de pie, arrogante y joven entre otros machos, frente al mingitorio de un bar, o recostado en una pared del barrio, las piernas abiertas, los pantalones caídos sobre los tobillos, y su miembro en la calidez húmeda de una boca temblorosa.

El hombre miró a Lucas, sosteniéndolo del pelo con una sola y poderosa mano. La otra mano del hombre empuñaba un cuchillo.

Lucas no le escuchaba la respiración al hombre callado, ni lo veía.

Lucas sintió la mano del hombre cerrada sobre su pelo. Lucas sintió que algo aullaba, en silencio, dentro de su cuerpo. Y Lucas, a lo largo de su corta vida, llamó miedo a lo que aulló, en silencio, dentro de su cuerpo.

El hombre escribió, mudo, en esa hora del crepúsculo o de una mañana gris, con la punta de su cuchillo, una palabra atroz en la frente de Lucas y, tal vez, no le importaron los estallidos de miedo en los ojos de Lucas. O, tal vez, el hombre gozó contemplándolos.

El hombre abrió la mano que sostenía a Lucas de pie. El hombre se limpió la mano que sostuvo a Lucas de pie, en su pantalón. Y en el pantalón del hombre quedó el rastro húmedo de la grasa con la que Lucas se untaba el pelo.

El hombre entró en el auto, y el auto se puso en marcha, y Lucas supo, por un instante, qué era vivir.

Lucas volvió a la casa de Benavídez, días, semanas después de que la piel de su frente hubiese cicatrizado. Y contó a Daiana, como pudo, qué era estar vivo. Qué era estar frente a un hombre que no le hablaba, que empuñaba un cuchillo, que le cobraba una cuenta que, a Lucas, nunca, nadie le dijo que iba a pagar.

—Sacame las botitas —le dijo Daiana, que incluía, en su habla, los diminutivos.

Lucas sacó, de los pies de Daiana, unas botas que le llegaban a los tobillos, y que eran de taco largo y fino.

—Sacame el jean —dijo Daiana en un susurro, sentada en el piso de una de las oscuras, frías, húmedas piezas de la casa de Benavídez.

Lucas, que no miraba a Daiana, agarrotó los dedos flacos de sus manos en el cinturón del jean de Daiana. Lucas tiró para abajo el jean de Daiana.

Las piernas de Daiana se abrieron en ve,

por encima de la cabeza de Lucas, y en el aire húmedo, frío y oscuro de una de las piezas de la casa de Benavídez.

—Poneme esas medias —susurró Daiana, y señaló un sobre transparente en el suelo de la pieza.

Lucas extrajo las medias del sobre transparente, y las alzó, y las miró en la luz que aún persistía en esa pieza de los fondos de la casa de Benavídez.

—Son medias de puta —murmuró, ronco, Lucas.

—Vos poneme las medias —y Daiana, que pensaba por Lucas, sonrió a la luz que se escurría en esa pieza de los fondos de la casa de Benavídez.

Lucas enfundó una de las medias en la pierna que Daiana mantenía en alto. Lucas sudaba. Un hilo de saliva cayó, de sus labios entreabiertos, sobre el pie en reposo de Daiana.

—Limpiame —susurró Daiana—. Con la lengua, limpiame.

Galopan, algunos de ellos, sobre motocicletas estridentes.

Son jóvenes. Son flacos. Son chuecos. Gritan cuando se ríen.

Esperan. No saben qué esperan.

Han conocido, muchos de ellos, los golpes de policías enardecidos, en calabozos que olían a defecaciones y a orina, y a sangre seca y ajena. Y cuando los puteaban y los golpeaban, ellos, flacos, chuecos, jóvenes, soltaban sus meadas, y se les aflojaban los intestinos, y una defecación tibia les corría por las piernas.

Cuando salen de las prisiones, de las comisarías, los chuecos, los flacos, los jóvenes, rapados, esperan.

Cuando recobran el aire y la luz de la ciudad, esperan.

Adolescentes, jóvenes, gritones, manosean a chicas de su edad. Y se miran, absortos, en los noticieros de la televisión, las cabezas envueltas en un saco o una frazada, esposados, entrar, a ciegas, en un auto de la policía.

Se agazapa, en ellos, la necesidad de romper huesos en otros; de apuñalar a quien sea; de empuñar una 22, una 32 y, si es posible, una 38, y dispararle a un cuerpo, a una puerta, a un árbol.

Esperan.

Ellos, los adolescentes, los jóvenes, los chuecos, los flacos, son criollos. Portan apellidos criollos: descienden —y eso, también, lo ignoran— de la España católica, bendecidos por el Dios inventado por los ricos para los miserables, locos, enfermos, tullidos y criminales, esos que descubrieron las llanuras, los bosques, los ríos correntosos, las piedras, las nieves de América del Sur.

Llegaron banqueros astutos y voraces a las orillas de América del Sur, y aristócratas vencidos por la sífilis, y campesinos de tierras exhaustas, y locos, tullidos, criminales, en busca de oro, de mujeres gratuitas, de esclavos, de una holgazanería de ungidos, de inmortalidad.

Ellos son criollos. Adolescentes, jóvenes, flacos, chuecos, gritones. Y esperan ser convocados para golpear, acuchillar y matar a bolivianos, paraguayos, peruanos, chilenos indocumentados.

Son sucios los bolivianos, peruanos, paraguayos, chilenos. Ocupan casas abandonadas, derruidas. Y se ofrecen, por unos centavos, por las sobras de una comida, en bares, comederos, estaciones de servicio, terminales de ómnibus, talleres, si aún quedan talleres en este país rico de argentinos tan ricos.

Los bisnietos y nietos e hijos de criollos se *fanean*.

Montan trepidantes motocicletas.

Roban, cuando pueden, trepidantes motocicletas.

Aceptan que policías barrigones, que calzan lustrosos borceguíes, les abran las piernas y los penetren en calabozos que olerán, siempre, a desamparo.

Los criollos, bisnietos, nietos e hijos de criollos, adolescentes, jóvenes, flacos, chuecos, gritones, absortos, arrebatan las carteras de maestras fatigadas y, con los pesos que encuentran en las carteras de maestras fatigadas y de abuelas que cumplen su papel de abuelas, y de turistas estúpidos y golosos, compran *fana*. Y *faneados*, inician viajes que los exaltarán, que los llevarán a la exigencia de más y más olvido.

Son criollos, aquí, en un país de ricos muy ricos: ¿por qué no van a esperar?

Las piedras del granizo, crueles, descendieron, vertiginosas, de otra infinita nada, y solo se escuchó en el barrio, y en sus calles vacías, el silbido desolado de eso que otra nada volcaba sobre una provisoria lengua de tierra.

Arturo Reedson contempló, detrás de la puerta vidriada de la cocina, cómo el granizo cortaba ramas y hojas del viejo limonero.

El viejo limonero se replegó sobre sí mismo, y resistió el castigo.

Arturo Reedson, de pie en la penumbra grisácea de la cocina, encendió un cigarrillo.

Lucas tiene los ojos abiertos.

Lucas tiene los brazos extendidos, quietos a lo largo de su torso. Los brazos de Lucas flanquean, quietos, su torso.

El suelo de esa pieza de la casa de Benavídez es frío, húmedo, y ya no hay luz en esa pieza de la casa de Benavídez.

Lucas, los ojos abiertos que no ven nada, que no miran nada, no habla. Tampoco escucha.

Daiana, en la oscuridad de la pieza húmeda, fría, susurra:

—La tenés chiquita, vos.

Daiana se acaricia el territorio que Lucas nunca sabrá por qué defendió de un ofuscado Benavídez.

Daiana se acaricia las piernas enfundadas en unas medias que Lucas dijo que eran de puta.

Daiana susurra:

—Matalo.

Lucas escucha el susurro de Daiana, y su cara, lentamente, cambia.

Lucas se acostaba en albergues de camas que olían a vejaciones y estertores. Se acostaba, en esas camas, con mujeres indiferentes y cansadas.

Lucas golpeaba a los chicos del barrio. Y sus golpes eran crueles: rompían, rasgaban, marcaban.

Lucas aterrorizó a una muchacha, y la obligó a que usara su boca, a lo largo de un tiempo que no midió reloj alguno, para darle goce a las flacuras dormidas de su cuerpo.

Pero Lucas, todavía, no había matado.

—Matalo —susurró Daiana.

La cara de Lucas cambió. ¿Estupor en la cara de Lucas? ¿Perplejidad en la cara de Lucas? ¿Imposibilidad de asimilar palabras que conformaban un acto que su cuerpo no tenía registrado, que no fue incluido entre sus contados desprecios?

Daiana hunde la cabeza entre sus piernas abiertas y enfundadas en medias que Lucas llamó medias de puta, y sentada en una cama de colchón blando, aplastado por el uso, allí, en la pieza que Benavídez les destinó, dice:

—Si los dejás hablar, esos te pueden.

Daiana se acaricia los talones de sus pies enfundados en medias que Lucas dijo que eran de puta.

Daiana conoce a Lucas. Entonces, repite:

—Matalo.

El anciano se sienta, horas y horas, de cara al limonero.

Espera, Arturo Reedson, que la naturaleza reponga la savia y el impulso vital al limonero.

Espera, Arturo Reedson, que vuelvan a brotar los limones, que el brillo de oro opaco de los limones pasee por sus ojos.

Le queda poco tiempo al hombre viejo. ¿Qué desea el hombre viejo para el poco tiempo que le queda? El hombre viejo no se contesta. Prefiere servirse una medida de ginebra.

Arturo Reedson, que aún se formula preguntas, sabe, también, que caminará bajo la fronda verde del limonero, y encenderá, en silencio, un cigarrillo, y alzará la cabeza, y cuando la haya alzado verá, pendiendo de las ramas del árbol de corteza rugosa y ajada, los frutos de su paciente solidaridad.

Este libro se terminó de imprimir
en el mes de julio de 2004
en Impresiones Sud América SA,
Andrés Ferreyra 3767/69, 1437,
Buenos Aires, República Argentina.